Jay F. Rosenberg · Philosophieren

Marie-Luise Goldmann
Guineastraße 2
13551 Berlin
15331

MarieLuiseGoldmann@t-online.de

Jay F. Rosenberg

Philosophieren

Ein Handbuch für Anfänger

KlostermannRoteReihe

Aus dem Amerikanischen übersetzt von Brigitte Flickinger.

Bibliographische Information der Deutschen Nationalbibliothek

Die Deutsche Nationalbibliothek verzeichnet diese Publikation in der
Deutschen Nationalbibliographie; detaillierte bibliographische Daten sind
im Internet über *http://dnb.d-nb.de* abrufbar.

Originaltitel: The Practice of Philosophy. A Handbook for Beginners
© 1984 by Prentice-Hall, Inc., Englewood Cliffs, New Jersey/USA

6. Auflage 2009
19. bis 21. Tausend

Gedruckt auf Alster Werkdruck der Firma Geese, Hamburg.
Alterungsbeständig ∞ ISO 9706 und PEFC-zertifiziert.

PEFC

Druck und Bindung: Hubert & Co., Göttingen
Printed in Germany
ISSN 1865-7095
ISBN 978-3-465-04069-9

In ein paar Jahren wird sie mich fragen, „Papa, was ist das eigentlich, was die Philosophen da machen?" Nun, das ist eine lange Geschichte. Glücklicherweise kann sie lesen.

Diese Geschichte ist für meine Tochter Leslie Johanna.

Die Crux einer philosophischen Argumentation erweist sich oft als ein Dedekindscher Schnitt zwischen einer Reihe von ‚wie ich zeigen werde' und einer Reihe von ‚wie ich gezeigt habe'. In gewissem Sinne *sind* die Präliminarien bereits die Argumentation, und die Crux besteht nur darin, sie verständlich zu entwickeln. Ein paar einführende Bemerkungen also noch, und meine Arbeit ist getan.

Wilfrid Sellars
Science and Metaphysics

Inhalt

Vorwort zur deutschen Ausgabe

An amerikanischen Colleges und Universitäten werden die Studienanfänger im Fach Philosophie mit Denkweisen und Schreibstilen konfrontiert sowie vor Aufgaben der Textinterpretation und der Lösung von Problemen gestellt, auf die sie in ihrer vorherigen Ausbildung gewöhnlich kaum oder gar nicht vorbereitet werden. Im Gegensatz dazu fanden sich an deutschen Hochschulen und Universitäten traditionell die Studenten der Philosophie auf einem intellektuellen Terrain, für das ihnen die Bildung des klassischen Gymnasiums eine adäquate und in hohem Maße verläßliche Orientierung lieferte. In letzter Zeit begann allerdings dieser relative Vorteil der deutschen Studenten allmählich zu schwinden. Die Beiträge von seiten einer lebendigen und fruchtbaren angloamerikanischen Philosophie haben bewirkt, daß die klassischen Fragen aus neuer, „analytischer" Sicht zunehmend umformuliert und neu durchdacht, daß sie durch neue Fragen und neue Problemstellungen ergänzt (und manchmal auch ersetzt) worden sind. Die klassische Landkarte mit ihren vertrauten Abgrenzungen von Metaphysik, Erkenntnistheorie, Ethik, Ästhetik und Logik hat für die Studenten immer mehr an Brauchbarkeit verloren. Sie müssen sich nun in einer philosophischen Landschaft zurechtfinden, deren zentrale Gebiete beispielsweise „Wissenschaftstheorie", „Sprachphilosophie" oder „Philosophie des Geistes" heißen. Mit anderen Worten, es ist an der Zeit, den jungen deutschen Studenten beim Ausarbeiten und Benutzen einer neuen Landkarte etwas zusätzliche Hilfestellung zu geben, es ist an der Zeit, ihnen für die neuen Formen und Stile philosophischen Argumentierens ein paar elementare Leitlinien anzubieten. Dies Buch soll als eine solche Hilfestellung und Orientierung dienen.

Es ist kennzeichnend für die analytische Stilrichtung in der

Philosophie, daß sie eine logische Schärfe fordert, wie sie eher Mathematikern vertraut ist als Leuten von klassischer humanistischer Bildung und daß sie hinsichtlich der Nuancen des sprachlichen Ausdrucks eine Sorgfalt walten läßt, die bislang eher im Gerichtssaal als im Seminarraum zuhause war. Die Art ihrer Darstellung und Argumentation ist nicht literarisch, beschreibend, sondern strikten Regeln folgend und kämpferisch. Anders als die klassische Tradition versucht die analytische Philosophie gewöhnlich weniger, eine bestimmte Weltanschauung vorzutragen, sondern befaßt sich mehr mit den Voraussetzungen, unter denen vernünftiges Denken über die Welt überhaupt möglich ist. Sie geht von der Überzeugung aus, daß die Voraussetzungen vernünftigen *Denkens* zugleich die Voraussetzungen vernünftigen *Sprechens* sind und daß es Schein und Wirklichkeit nicht nur in Bezug auf die Welt gibt, sondern ebenso in Bezug auf die Sprache für sich genommen: irreführenden *Schein* von Sinn gibt es in den alten wie in den heute gebrauchten Idiolekten der Philosophie.

Dies Buch wurde geschrieben, um Studienanfängern zu helfen, mit diesen neuen Anforderungen des Philosophiestudiums zurechtzukommen. Die erste Ausgabe erschien 1978 in den USA, eine zweite, durchgesehene und erweitere Auflage 1984. Die Fassung, die Sie in der Hand haben, ist eine Übersetzung dieser zweiten Auflage. (Es ist in Parenthese gesagt, eine ausgezeichnete Übersetzung – ein Umstand, den ich vornehmlich meinen Kollegen Peter Bieri, Universität Bielefeld, und Jens Kulenkampff, Universität Duisburg, verdanke, die nicht nur eine außergewöhnlich fähige Übersetzerin für das Projekt gewonnen haben, sondern persönlich den Prozeß der Übertragung meiner Arbeit ins Deutsche bis zu diesem guten Abschluß begleitet haben.) Wie der Titel andeutet, behandelt das Buch Philosophie nicht als einen Gegenstand abgehobener Kontemplation, sondern als eine engagierte *Tätigkeit* reflektierenden Denkens, eine Tätigkeit, zu der auch Studienanfänger aufgefordert und ermutigt werden. Es ist ein Buch über die „analytische" Art des philosophischen *Denkens* – eine Einführung in seine grundlegenden Erkenntnismittel und intellektuellen Strategien – und, wie es sich für ein solches Buch gehört, ist sein Brennpunkt konzentriert auf die mannigfaltigen Arten des *philosophischen Essays*, auf die besondere Darstellungsform, in der ein solches Denken am Ende seinen sprachlichen Ausdruck findet und an die Öffentlichkeit tritt.

Das Buch kann nicht für sich alleine stehen. Seine Ziele sind begrenzter. Es ist bewußt und wesentlich als ein Hilfsmittel gedacht, als ein *methodischer* Leitfaden, der nur in Verbindung mit eigentlich philosophischen Werken gelesen und benutzt werden sollte. Seien es klassische oder seien es zeitgenössische Werke, auf *ihre* Inhalte sollen die Analysetechniken und Reflexionsstrategien, die hier skizziert sind, im Denken und Schreiben angewandt werden. In dieser Weise hat eine Generation amerikanischer Studenten das Buch tatsächlich als nützlich empfunden. Wenn ich es jetzt ihren europäischen Kommilitonen empfehle, so mit dem aufrichtigen Wunsch, daß seine Brauchbarkeit die Grenzen von Ländern und Sprachen überschreiten werde.

Im September 1985   Jay F. Rosenberg
                                     Chapel Hill, N. C., USA

Vorschau

Dies Handbuch verfolgt zwei Ziele. Das eher praktische, aber meiner Ansicht nach weniger wichtige Ziel ist, die philosophischen Studienanfänger mit einem nützlichen Leitfaden zu versorgen, für den Zugang zu etwas, das ihnen höchst wahrscheinlich wie ein durch und durch bizarres Unternehmen vorkommt. Dem typischen Anfänger erscheinen philosophische Vorgehensweisen oft willkürlich, sinnlos und trivial, und doch zugleich überraschend schwierig und unsagbar frustrierend. Das wichtigere, aber weniger praktische Ziel dieses Handbuchs ist, eine Erklärung dafür zu versuchen, weshalb das so ist, und was es mit der Philosophie auf sich hat, daß sie diesen Eindruck erweckt.

Tatsächlich unterscheidet sich die Philosophie von beinah allen anderen akademischen Disziplinen, die heute unsere Universitäten bevölkern. Wie verschieden sie ist und weshalb, bildet die zweite Hälfte dessen, was ich zu vermitteln hoffe. Da sie verschieden ist, stellt auch ein Studiengang in Philosophie andere Anforderungen an die Studenten als die übrigen akademischen Fächer. Worin diese Anforderungen bestehen und wie man lernen kann, ihnen gerecht zu werden: eine Art hilfreiche Handwerksanleitung, bildet die erste Hälfte. Ein Drittes würde ich gerne vermitteln können, aber das wird mir wohl nicht gelingen: Es ist das echte Gefühl von Befreiung und Freude, das man beim Philosophieren erleben kann. Doch das muß vermutlich jeder selbst für sich finden, wenn er es überhaupt findet. Das Äußerste, was ich realistischerweise hoffen kann, ist, daß das, was ich mit Erfolg vermittle, es Ihnen erleichtert, dies Gefühl von Befreiung und Freude zu erleben.

Ein paar warnende Bemerkungen sind wahrscheinlich angebracht. Erstens, dies Handbuch befaßt sich hauptsächlich mit Technik. Infolgedessen ist es wahrscheinlich leider ziemlich trokken. Es ähnelt einem eigenständigen, visionären philosophischen Werk nicht mehr als ein Schreinerei-Handbuch einem gut gearbeiteten Chippendale-Stuhl. Eben sprach ich von einem Gefühl von Befreiung und Freude. Natürlich entsteht es nicht beim Lesen eines solchen Handbuchs, so wenig wie das Lesen von Schreinerei-Handbüchern schöne Stühle zustandebringt. Man erreicht es, wenn man Glück hat, indem man die Techniken beherrscht und sie anwendet. Das ist nicht nur schwierig. Sie werden auf dem Weg dahin auch manche Fehler machen. Chippendales *erster* Stuhl war wahrscheinlich ein wackliges Ungetüm.

Eine zweite bedauerliche Konsequenz der Konzentration auf Technik ist, daß man sehr schnell an die Grenzen des Lehrbaren stößt. In Wahrheit gibt es eben gar keine Technik für das Schaffen und Entdecken. Man kann jemanden das Betrachten, doch nicht das Erkennen, wie man forscht, aber nicht wie man entdeckt, lehren. Die Gegenstände dieses Handbuchs dürften lehrbar sein: Gliederung und Auslegung, Darstellung und Argumentation – Techniken zur Aufbereitung von begrifflichem Rohmaterial. Die Rohstoffe kritischer und konstruktiver Einsicht selbst müssen jedoch von irgendwo außerhalb dieser ganzen Technik kommen. Kritischen Scharfsinn und schöpferische Originalität kann man nicht lehren. Bestenfalls kann man sie nähren, erweitern, reifen lassen. Und dabei hilft nur zweierlei: Vertrautheit mit dem Gegenstand und Übung, Übung, Übung. Beides benötigt Zeit und Disziplin. Vertrautheit erlangt man allein durch extensives Lesen, Übung nur durch extensives Schreiben. Dies Handbuch ersetzt das Lesen nicht. Es soll die Lektüre vielmehr ergänzen. Im Anhang werden Sie jedoch einige Aufgaben und Textstellen finden, gedacht als Material oder Themenvorschläge, die sich für ein erstes philosophisches Schreiben eignen.

Eine ganz andere Warnung betrifft die philosophische *Stilrichtung*, die diesem Handbuch zugrundeliegt. Gegenwärtig gibt es in der westlichen Welt im wesentlichen zwei philosophische Hauptrichtungen, deren Grenze in etwa vom englischen Kanal markiert wird. Die angloamerikanische Richtung bezeichnet man oft als „analytisch" oder „sprachanalytisch", die kontinentale als

„existenzialistisch" oder „phänomenologisch". (Dies ist freilich eine grobe und ungenaue Einteilung. Überall kann man Philosophen beider Richtungen finden, und die Richtungen selber mischen sich und bilden große, graue Zonen, die schlecht mit einem einzigen Etikett zu versehen sind.) Dies Handbuch basiert ganz auf dem analytischen Stil des Philosophierens. Die Art der Themen, Probleme und Fragen, die es für erheblich hält, wie die Art der Antworten, die es verteidigt und beleuchtet, sind von dieser zugrundeliegenden stilistischen Neigung geprägt und spiegeln sie wider. Das ist durchaus kein Fehler – tatsächlich ist eine Entscheidung für die eine oder andere Richtung unvermeidbar – jedoch muß, besonders in einem solchen Grundkurs, erwähnt werden, daß es durchaus respektable Alternativen gibt.

Die Wahl einer philosophischen Stilrichtung ist nur eine der subjektiven Neigungen, die dies Handbuch prägen. Jedes Buch hat einen Autor. Folglich ist, gleichgültig wie nüchtern sein Gegenstand oder wie trocken und steril akademische Prosa auch sein mögen, jedes Buch von den persönlichen Idiosynkrasien, Vorurteilen, Voraussetzungen und ideologischen Tendenzen eines bestimmten Individuums geprägt – mindestens durch das, was sein Verfasser in die Darstellung mit aufnimmt und was er übergeht. Dies Buch macht da keine Ausnahme. Es hat sich nicht selbst geschrieben; *ich* habe es geschrieben. Wie die meisten Autoren bin ich eine komplexe Person mit bestimmten Überzeugungen, Wünschen, Fähigkeiten, Idealen, Vorlieben, Zielen, Intentionen und Werten. Manche dieser persönlichen Fixierungen bestimmen, was in diesem Handbuch verhandelt wird. Natürlich tun sie das. Und die da bestimmen, sind weit verbreitet, nützlich und rational zu rechtfertigen, meine ich. (Daß sie es sein *sollten*, ist natürlich einer jener Werte, über die ich gerade gesprochen habe.) Handelte es sich hier, sagen wir, um einen mathematischen Text, wäre es vielleicht nicht nötig, das zu erwähnen. Es stünde außer Zweifel. In der Philosophie verdient es Erwähnung. Als nächstes möchte ich mich einigen Gründen zuwenden, weshalb das so ist.

1. Der Charakter der Philosophie

Was ist eigentlich Philosophie? Philosophie ist etwas, was Menschen tun. Sie ist Praxis. Genauer: Philosophie als Praxis ist eine Tätigkeit der Vernunft. Allein besagt das wenig, denn welche typisch menschliche Praxis ist nicht eine Tätigkeit der Vernunft? Literatur, Geschichte, Naturwissenschaften – sie alle sind es zweifellos; aber Philosophie ist weder Literatur noch Geschichte noch Naturwissenschaft, obwohl sie literarisch, historisch oder (im weiteren Sinne) sogar naturwissenschaftlich sein kann. Philosophen tragen in der Praxis ihre Gedanken häufig in schriftlicher Form vor, doch ist nicht schöpferischer literarischer Ausdruck ihr Anliegen. Sie diskutieren häufig die Ansichten ihrer historischen Vorgänger in deren geschichtlichem Zusammenhang, doch geht es ihnen nicht um ein gelehrtes Sichten historischen Materials. Und häufig bringen sie Erklärungen und Theorien vor, aber ihr Theoretisieren beruht nicht auf kontrollierten Beobachtungen und Experimenten und ist diesen nicht in derselben Weise verpflichtet wie die Theoriebildung des Naturwissenschaftlers. Was *ist* dann das Anliegen des Philosophen?

Irgendwann einmal verspürt jeder einen gewissen Impuls. Gewöhnlich taucht er als ein Gefühl, als ein Staunen oder als Beunruhigung auf, und oft genug verwandelt er sich in eine vage, aber anregende Frage: Dauern Raum und Zeit immer fort? Was ist, wenn es keinen Gott gibt? Was, wenn es einen gibt? Bin ich wahrhaft frei? Ist jemals etwas wirklich richtig oder falsch? Gibt es absolute Wahrheiten? Gibt es wirklich so etwas wie gute Kunst? Und natürlich: Was ist der Sinn des Lebens? Gerade darin liegt ein Impuls für philosophische Tätigkeit. Mit dem Staunen beginnt die Philosophie, sagt Aristoteles.

Wenige Leute gehen jedoch über diesen Punkt hinaus. Aus einem recht einfachen Grund: Sie wissen nicht, *wie* sie darüber hinausgehen könnten. Wie denkt man über solche Dinge nach? *Kann* man darüber nachdenken? Der Verstand gerät ins Wanken. Das eigene Denken windet sich, stolpert in engen Kreisen, wird verkrampft und verwickelt. Schließlich geht der Augenblick vorbei, oder man läßt ihn vorbeigehen. Irgendwie ist die Frage abgetan, ist zurückgestellt, verworfen oder verdrängt. Und doch könnte ein Gefühl zurückbleiben – das frustrierende Gefühl, daß dies sicherlich *wichtige* Fragen sind, Fragen mit wichtigen Antworten. Wenn man nur wüßte, wie man sie finden kann.

Ein aktiver Philosoph ist unter anderem jemand, der sich bemüht, sie zu finden. Ein Teil der Arbeit eines solchen Philosophen besteht darin, über derartige Gefühle hinauszugelangen und solche Fragen in die Reichweite der Tätigkeit der Vernunft zu bringen, sie vom Herzen in den Verstand zu verlagern. Ein Teil der Aufgabe des Philosophen besteht darin, aus solchen Fragen etwas zu machen, worüber man nachdenken *kann* – und dann darüber nachzudenken. Dafür brauchen die Philosophen sowohl eine allgemeine Strategie – eine Methode – als auch besondere Taktiken, nämlich spezifische Techniken, um jene Methode anzuwenden. Das tun sie. Philosophie ist demnach eine Tätigkeit der Vernunft mit eigener Strategie und eigener Taktik, mit eigener Methode und Technik. Sie ist, kurz gesagt, eine Disziplin.

Philosophie stellt man sich vielleicht am besten als eine durch ihre Methode, weniger durch ihren Gegenstand bestimmte Disziplin vor. Es ist im günstigsten Fall äußerst schwierig, schlechtestenfalls unmöglich, eine einigermaßen bündige Aussage darüber zu machen, *was* Philosophie untersucht. Eines der anfangs besonders auffallenden Charakteristika von Philosophie ist wirklich die Vielfalt verschiedener Philosoph*ien* diverser anderer Disziplinen – Wissenschaftstheorie, Kunstphilosophie, Religionsphilosophie, Philosophie der Mathematik, Philosophie der Psychologie, Geschichts-, Rechts-, Sprachphilosophie und so fort durch den ganzen Katalog intellektueller Beschäftigungen, denen Menschen nachgehen. Auf diese Weise erhält Philosophie den

Charakter einer Art Disziplin „zweiter Ordnung", deren Forschungsgegenstand die Tätigkeiten „erster Ordnung" sind: die des Wissenschaftlers, Künstlers, Theologen, Mathematikers, Historikers, Psychologen, Juristen, Linguisten und ihrer vielen Kollegen. Wenn wir darauf bestehen, Philosophie nach ihrem Gegenstand zu charakterisieren, dann ließe sich das Objekt philosophischer Forschung im allgemeinen am besten als rationale, kognitive oder begriffliche Tätigkeit von Individuen beschreiben. So gesehen, ist Philosophie als Tätigkeit die Anwendung von Vernunft auf ihr eigenes Tun, das rationale Erforschen rationaler Tätigkeiten. Damit gelangt Philosophie in die Reichweite ihres eigenen Tätigkeitsfeldes, und tatsächlich gibt es auch die Philosophie der Philosophie (metaphilosophische Forschung). „Was ist eine ausgesprochen philosophische Frage?" und „Was ist geeignete philosophische Methode?" sind demnach selbst typische Beispiele für spezifisch philosophische Fragen. Und darin liegt ein weiterer Grund, weshalb es schwierig oder unmöglich ist, eine bündige Aussage über den Gegenstand philosophischer Forschung zu machen. Jede solche Aussage, einschließlich der eben gemachten, ist selbst Ausdruck einer philosophischen These, einer philosophischen Position oder Ansicht.[1]

Der Charakter der Philosophie als einer Wissenschaft „zweiter Ordnung" läßt sich erhellen, indem man die Art von Fragen untersucht, die ein Philosoph bei seiner Arbeit gewöhnlich stellt. Es ist hilfreich für die Kennzeichnung solcher Fragen, sie in zwei Gruppen einzuteilen, in Bedeutungsfragen und Rechtfertigungsfragen. Bemerkenswerterweise fehlen in dieser Klassifizierung die Wahrheitsfragen. Philosophen sehen sich oft mit einer Behauptung konfrontiert, die von einem Praktiker aus einer Disziplin „erster Ordnung" aufgestellt wird. Ein Physiker kann zum Beispiel sagen, Gase bestehen aus Molekülen. Ein Kunstkritiker kann behaupten, daß Michelangelos *David* ein vollendeteres

---

[1] Charles J. Bontempo u. S. Jack Odell, Hrsg., *The Owl of Minerva*, New York: McGraw-Hill 1975 – ist eine faszinierende Essaysammlung von etwa fünfzehn zeitgenössischen Philosophen, die über das Thema reflektieren: Was ist eigentlich Philosophie?

Werk ist als seine *Pietà*. Ein Theologe könnte feststellen, daß Gott gnädig sei, ein Historiker, daß die zugrundeliegenden Ursachen des Weltkriegs vor allem ökonomischer Natur waren, ein Linguist, daß die Sprachfähigkeit des Menschen nicht erklärt werden könne, ohne ein angeborenes, durch Vererbung übertragenes Sprachvermögen anzunehmen, und so fort. Nun werden philosophische Praktiker charakteristischerweise nicht geneigt sein zu fragen, ob die Behauptung, mit der sie konfrontiert sind, wahr ist. Wenn man sie drängt, werden sie wahrscheinlich eine Antwort mit der Begründung ablehnen, ihnen fehlten die Spezialkenntnisse des Praktikers „erster Ordnung", die nötig wären, um die Wahrheit oder Falschheit solcher Behauptungen zu beurteilen. Dennoch können sie mit Recht daran festhalten, daß es hier einiges für sie zu tun gibt, was erst einmal erledigt werden muß.

Zum einen geht es Philosophen in ihrer Arbeit um Fragen, die die Verständnisschwierigkeiten mit den von den Praktikern „erster Ordnung" aufgestellten Behauptungen betreffen. Was bedeutet es, von einem Kunstwerk zu sagen, es sei „vollendeter" als ein anderes? Was sind überhaupt „zugrundeliegende Ursachen"? Philosophen sind von Natur aus nicht geneigt, solche Behauptungen „erster Ordnung" für bare Münze zu nehmen. Vielmehr werden sie danach fragen, welches ihr Münzwert eigentlich *ist*. Zum Beispiel scheint eine recht einfache Behauptung zu sein, daß Gase aus Molekülen bestehen. Aber besteht denn Gas in der gleichen Weise aus Molekülen wie eine Leiter aus Sprossen und Holmen besteht? Oder wie ein Puzzle aus Teilen? In der Art wie ein Wald aus Bäumen besteht oder ein Satz aus Worten? Wie kann etwas, das sichtbar ist, zum Beispiel ein Stuhl, ausschließlich aus Dingen bestehen, beispielsweise Atomen, von denen *keines* sichtbar ist? Und weiter: Wir wissen recht gut, was es heißt, etwa von einem Richter oder von Eltern zu sagen, sie seien gnädig. Aber kann ein Theologe, der Gott gnädig nennt, wirklich das gleiche meinen, was wir gewöhnlich meinen? Schließlich hält man Gottes Gnade offenbar für vereinbar mit dem Vorhandensein von Krankheit, Dürre, Hunger, Krieg, Erdbeben, Wirbelstürmen und mit all den verschiedenen Leiden der Menschen, und er läßt es sichtlich zu, daß all dies Elend die Unschuldigen wie die Schuldigen gleichermaßen heimsucht. Und so etwas würden wir kaum von einem gnädigen Wesen erwarten. Weiter kann ein Philosoph fragen: Haben wir einen klaren Begriff von „Sprachvermögen" als etwas Vererbtem, wie beispielsweise die Augenfarbe durch Vererbung übertragen wird?

Zum anderen kann ein philosophischer Praktiker auf Untersuchung der Gründe drängen, die – implizit oder explizit – von den Praktikern „erster Ordnung" zur Stützung ihrer Behauptungen angegeben werden oder angegeben werden könnten. Wie kann das mit bloßem Auge wahrnehmbare Verhalten von Substanzen, Gegenständen und Instrumenten im Labor Behauptungen des Physikers über nicht wahrnehmbare Teilchen oder Kräfte rechtfertigen? Können ästhetische Werturteile intersubjektiv Gültigkeit erlangen, oder sind sie notwendigerweise nicht mehr als ein Ausdruck des persönlichen Geschmacks? Erfordert das Sicherstellen theologischer Behauptungen eine besondere Art der religiösen Erfahrung, und kann es eine solche Art der Erfahrung geben?

Radikale Verallgemeinerungen solcher Fragen bilden nach verbreiteter Ansicht das traditionelle Terrain philosophischer Forschung. Es ist also typisch für Philosophen, nicht nach den Gründen für dieses oder jenes einzelne ästhetische Werturteil zu fragen, sondern vielmehr danach, ob ästhetische Werturteile generell – oder noch weiter gefaßt, ob überhaupt irgendwelche Werturteile (ästhetische oder moralische) – sich objektiv rechtfertigen lassen. Auch den vorausgesetzten Gegensatz zwischen Werturteilen und Tatsachenurteilen werden sie nicht als selbstverständlich annehmen. Sie werden stattdessen untersuchen wollen, ob eine solche Unterscheidung mit Sinn gemacht werden kann und wenn ja, worin sie besteht. Weiter werden Philosophen untersuchen, wie berechtigt es ist, irgendwelche Rückschlüsse vom Wahrnehmbaren auf das Nichtwahrnehmbare zu ziehen, ob es sich nun bei dem Nichtwahrnehmbaren um die Kräfte und Partikeln des Physikers handelt, um die privaten

Gedanken und Wünsche gewöhnlicher Leute oder um den noch bevorstehenden Sonnenaufgang von morgen. Und natürlich wird gerade die Unterscheidung zwischen dem, was beobachtet werden kann und was nicht, selbst Gegenstand der Untersuchung sein. Und noch weiter: Philosophen werden in ihrer Arbeit generell die Grenzen der Wahrnehmung erforschen wollen, und zwar als einer Fähigkeit, Wissen über eine Welt zu erbringen, die unabhängig von unserer Erfahrung besteht, nicht einfach als einer möglichen Form der Rechtfertigung theologischer Überzeugungen. Oder sie werden umgekehrt untersuchen, ob theologische Behauptungen überhaupt durch Erfahrung oder durch Argumente bestätigt werden können. Der praktizierende Philosoph ist demnach ein Generalist par excellence. (Mein Kollege W. D. Falk formulierte es einmal so: Gewöhnliche Leute fragen: „Ist noch Zeit?", ein Philosoph dagegen fragt: „Was ist Zeit?")

Das Philosophieren – was auch immer im einzelnen seine Methode sei – wird also, anders als die Arbeit in den Disziplinen „erster Ordnung" (oder als unsere alltägliche Beschäftigung im praktischen Leben) einen Schritt von den Fakten „erster Ordnung" entfernt betrieben. Infolgedessen ist es eine außerordentlich subtile und abstrakte Arbeit. Es geht hier gar nicht um das Erforschen solcher Fakten, sondern um ein Erforschen der Methoden, mit deren Hilfe wir nach Fakten suchen, um die Gründe und Rechtfertigungen, aufgrund deren wir sie behaupten, und um die Erforschung der Begriffe, mit denen wir Fakten beschreiben. Wenn wir das einsehen, können wir uns viel Merkwürdiges und Problematisches in der philosophischen Praxis erklären: die scheinbare Unbestimmbarkeit und Willkür ihrer Methoden, das oft beklagte Fehlen einer festen Forschungsrichtung sowie den Mangel an konkreten Ergebnissen, woran sich ein Fortschritt ablesen ließe, und noch genereller die Aura von Irrealität und Abgehobenheit, die von Nicht-Philosophen als so besonders fachtypisch angesehen wird. Die Wurzeln dafür liegen in der Tatsache, daß Philosophen nicht einfach über die Welt nachdenken. Sie denken über das *Denken über* die Welt nach. Das Ergebnis sind also nicht neue Tatsachen, sondern ist neue Klarheit darüber, was die alten Tatsachen sind und was nicht, und darüber, auf welche Weise sie zu legitimieren sind.

Praktizierende Philosophen sind demnach die Theoretiker par excellence, und da der Gegenstand ihres Theoretisierens von den Tatsachen einen Schritt entfernt ist, sind sie ganz das Gegenteil von praktischen Leuten. Denn das Wissen, auf das der Philosoph abzielt, ist nicht wie praktisches Wissen eine Voraussetzung für Handeln. Es ist ein Wissen um die Vorbedingungen jenes Wissens, das unser Handeln bestimmen *kann*. Philosophische Forschung ist nicht instrumentell. Sie ist kein Werkzeug. Sie strebt nach Klarheit, nicht um Handeln zu erleichtern oder davon unabhängige Lebensziele zu fördern, sondern einfach um der Klarheit selbst willen. Es gibt zwar philosophische Techniken, aber keine philosophische Technologie. Wenn die etymologische Bestimmung des Philosophen als Freund, nicht von Wissen (episteme), sondern von Weisheit (sophia), überhaupt etwas bedeutet, dann sicherlich dies.

Eine zweite traditionelle Rolle der Philosophie sollte an dieser Stelle erwähnt werden. Ich habe von Philosophie als einer Tätigkeit gesprochen, die *nach* den Einzelwissenschaften kommt und die das Fundament und die Konstruktion bereits errichteter Gebäude überprüft. Ebenso richtig ist jedoch, sich Philosophie als etwas den Wissenschaften Vorausgehendes vorzustellen, als die Mutter der Wissenschaften. „Philosophie beginnt mit dem Staunen", hat Aristoteles gesagt, aber dies ursprüngliche Staunen über die komplexe Welt, in der die Menschen leben, ist die Quelle nicht nur der Philosophie, sondern allen menschlichen Forschens. Ein Spekulieren und Theoretisieren über den Wandel, die Bewegung und den Stoff der Welt gab es lange vor den hochentwickelten experimentellen Disziplinen, an die wir heute als die Naturwissenschaften denken. Vor Physik und Chemie gab es Naturphilosophie (noch heute wird die Physik in England so genannt), und unsere scharf getrennten Fächer erwuchsen aus diesen philosophischen Ursprüngen ebenso glatt wie die Eiche aus der Eichel. Menschen machten Theorien über Gerechtigkeit lange bevor es so etwas wie die formelle Disziplin der

Rechtswissenschaft gab. Man untersuchte mögliche Gesellschafts- und Regierungsformen lange vor den Politischen Wissenschaften. Jahrhundertelange Spekulation über unsere Fähigkeiten zu denken, zu wissen, zu empfinden ging der empirischen Forschung voraus, die wir heute Psychologie nennen. Und all dies Theoretisieren, Erforschen und Spekulieren wurde und wird mit Recht Philosophie genannt. Newton und Einstein, Jefferson und Lenin, Freud und Skinner beschäftigten sich mit nicht weniger philosophischen Problemen als Aristoteles und Leibniz, Locke und Hegel oder Kant und Hume.

Diese historische Rolle hat sich die Philosophie an ihrer Schnittkante weiterhin bewahrt. Philosophie und Einzelwissenschaften gehen an ihren spekulativen Rändern ineinander über. Theoretische Physik und Naturphilosophie, Politische Theorie und Politische Philosophie, Linguistik und Sprachphilosophie, Theoretische Psychologie und Philosophie des Geistes – alle bearbeiten sie gemeinsame Probleme. Nach meiner erster Beschreibung der Philosophie sollte das nicht überraschen, denn gerade in den Grenzbereichen aller Disziplinen stellen sich die typisch philosophischen Fragen nach der Bedeutung (Was heißt das?) und nach der Rechtfertigung (Wie kann man das behaupten?) besonders nachdrücklich und unmittelbar. Die beiden Rollen der Philosophie – als kritische Untersuchung gegebener wie als spekulative Quelle neuer begrifflicher Strukturen – ergänzen sich demnach eher, als daß sie miteinander konkurrierten, und runden das Bild ab, das uns Philosophie als die generellste Betrachtung von Natur und Grenzen der menschlichen Vernunft darstellt.

Die Geschichte der Philosophie – das große Werk früherer Philosophen – hat in dieser Betrachtung eine besondere Funktion. Sie werden sehen, daß der größte Teil der laufenden Arbeit eines philosophischen Praktikers in der kritischen Beurteilung von Positionen und Argumenten anderer Philosophen besteht. Diese Tatsache hat schon manchen zu der sarkastischen Bemerkung verleitet, die philosophische Tätigkeit sei ein Heilen von begrifflichen Krankheiten, mit denen nur Philosophen sich wechselseitig infizierten. Aber auch das ist offensichtlich nichts anderes als ein Reflex des schon hervorgehobenen Charakters von Philosophie als einer Disziplin „zweiter Ordnung". Lassen Sie mich die Gründe für diese „professionelle Inzucht" näher untersuchen.

Zwei Naturwissenschaftler können auf der Ebene ihrer Theoriebildung über die angemessene Erklärung für eine Reihe beobachteter Phänomene verschiedener Meinung sein, die Phänomene selbst haben sie jedoch als eine gemeinsame Grundlage. Sie können uneinig sein, was eine Serie von Untersuchungsergebnissen *zeigt*, doch bezeichnenderweise sind sie nicht uneinig darüber, welches die Ergebnisse *sind*. Ähnlich können zwei Historiker über die Interpretation einer Gruppe von Dokumenten streiten, doch die Dokumente selbst bilden für sie eine gemeinsame Grundlage. Sie mögen uneins sein, worauf die Dokumente *schließen lassen* (warum etwas geschah), aber es ist bezeichnend, daß sie nicht uneins sind, was die Dokumente *mitteilen* (was geschah). Und selbst zwei diskutierende Theologen – zum mindesten solche desselben religiösen Bekenntnisses – können in ihrem gemeinsamen Glauben und oft in ihrer Bindung an bestimmte heilige Texte eine gemeinsame Basis finden. Das heißt, wenn in den Disziplinen „erster Ordnung" Meinungsverschiedenheiten aufbrechen, ist immer eine Möglichkeit für alle streitenden Parteien offen, zu einem unstrittigen Punkt zurückzukehren, um von dort aus von neuem zu beginnen.

Philosophen dagegen haben weder Phänomene noch Experimente gemeinsam, weder dokumentarische Daten noch einen Glauben. Philosophen arbeiten, wie Sie sich erinnern werden, einen Schritt von den Tatsachen „erster Ordnung" entfernt. Was sie jedoch teilen, ist die Geschichte, die gemeinsame Gedankentradition der großen Philosophen der Vergangenheit. Angenommen beispielsweise, zwei Philosophen streiten über die Grenzen perzeptiver Erkenntnis, darüber, was vermittels der Wahrnehmung über die Welt erfahren werden kann. Nun ist klar, daß sie nicht übereinstimmend auf etwas zurückgehen können, was aus Beobachtungen über den physischen und psychischen Prozeß der Wahrnehmung bekannt ist. Ihr Streit geht ja gerade darum, was man aus Beobachtungen wissen *kann*, und zwar nicht nur über Wahrnehmung, sondern überhaupt. Und obgleich sie zum Beispiel dem zustimmen werden, was Neurophysiologen über menschliche Wahrnehmungsprozesse sagen, bringt das die Diskussion nicht weiter, denn ihre philosophischen Differenzen betreffen sowohl die Bedeutung jener neurophysiologischen Behauptungen (was man daraus machen kann) als auch ihre Legitimität. Ein Stück gemeinsame Basis können die streitenden Philosophen in ihrem begrifflichen Erbe finden. Denn die großen Philosophen der Vergangenheit, Platon, Aristoteles, Thomas von Aquin, Descartes, Berkeley, Hume, Kant und andere, haben alle zu der Frage nach den Grenzen perzeptiver Erkenntnis Stellung genommen und ihre Meinung mit Argumenten gestützt. Die beiden diskutierenden Philosophen können also den Ort ihrer Meinungsverschiedenheit an ihrer unterschiedlichen Haltung zu einer oder mehreren dieser historischen Positionen feststellen. Und sie können den Anfang für eine mögliche Auflösung ihres Streits da finden, wo ihre unterschiedlichen Kommentare und Beurteilungen dieser historischen Positionen sowie der sie stützenden Argumente liegen.

Die Geschichte der Philosophie spielt so in der Praxis des Philosophierens eine entscheidende methodologische Rolle. Sie tritt nicht als Gegenstand philosophischer Untersuchung auf, sondern als ihr *Medium*. Sie liefert den Philosophen eine gemeinsame Fachterminologie, ein gemeinsames *Begriffs*vokabular sowie eine Menge von Musterbeispielen philosophischen Argumentierens, die als gemeinsamer Ausgangspunkt dienen können, um zentrale philosophische Fragen heute neu zu untersuchen. Die Geschichte der Philosophie bietet ein reiches Arsenal von Auffassungen sowie sie stützender Überlegungen, die es immer wieder neu zu sichten und zu beurteilen gilt und die – von den allerbesten Philosophen einer Zeit – ab und zu ergänzt werden.

Das historische Interesse aktiver Philosophen beschränkt sich also nicht darauf zu verstehen, was ihre Vorgänger glaubten. Es zwingt auch zu der entscheidenden Frage, warum sie es geglaubt haben. Und das „warum", um das es hier geht, ist das argumentative, begründende „warum", nicht das „warum" etwa der Psychoanalyse oder der Soziologie. Denn die Philosophen interessieren sich in ihrer eigenen Arbeit für die Argumentationen ihrer Vorgänger, nicht für deren Motivationen. Philosophischer Fortschritt, zumindest in seiner kritischen Dimension, ist demnach weder an neuen Fakten und Prognosen noch an Brot, Bomben oder Brücken zu bemessen. Er liegt in so viel Subtilerem wie der Verfeinerung von Fragestellungen, dem Erreichen größerer argumentativer Schärfe, dem Erfassen von Zusammenhängen, dem Erkennen von Voraussetzungen oder darin, das Wesentliche einer Bemerkung zu erfassen.

Und nur ab und zu, wenn man besonderes Glück hat, fallen diese winzigen Elemente für einen Augenblick zusammen und fügen sich zu einem größeren visionären Ganzen. Und dann erleben Sie das Gefühl von Befreiung und Freude, von dem ich gesprochen habe.

2. Die Form eines Arguments

Über die Methoden philosophischen Forschens läßt sich kaum Einigkeit erzielen. Wenn wir jedoch versuchen, Fragen, die die Substanz philosophischer Methode betreffen, von Fragen des philosophischen Stils zu trennen, so läßt sich vielleicht für die ersteren in ein paar Punkten allgemeine Übereinstimmung erreichen. Der grundlegende Punkt ist wahrscheinlich, daß philosophische Auffassungen oder Positionen durch Argumente gestützt werden müssen. Mit ,Argument' meine ich nicht etwas unbedingt Kritisches oder Kontroverses (obwohl Philosophen ebenso negativ und streitsüchtig sein können wie jeder andere). Argumentation ist im weitesten Sinne einfach das Angeben von Gründen für Überzeugungen. Wenn es eine Grundregel philosophischen Arbeitens gibt, dann die, daß jede Ansicht, wie abwegig sie auch sein mag, zur Diskussion gestellt werden kann, vorausgesetzt nur, ihr Befürworter bemüht sich, sie angemessen durch Argumente zu sichern. Deshalb müssen wir uns Argumente ansehen.

Ein einzelnes Argument kann man sich als eine Gruppe, ein Bündel oder eine Serie von Aussagen vorstellen. Im reinsten Fall wird eine dieser Aussagen als beabsichtigte Konklusion gekennzeichnet, weil sie die Zielüberzeugung ausdrückt, die der Stützung bedarf. Andere werden als Ausgangspunkte oder Prämissen markiert. Die Konklusion ist das, *wofür* argumentiert wird, die Prämissen das, *von woher* argumentiert wird. Die übrigen Aussagen dienen dazu, die Verbindung zwischen den Prämissen und der Konklusion zu beleuchten oder zu beweisen, daß, wer die Wahrheit der Prämissen anerkennt, damit verpflichtet ist, auch die Wahrheit der Konklusion anzuerkennen (oder konsistenterweise dazu verpflichtet sein sollte). Es gibt also eine implizite wenn-dann-Behauptung, die jedes Argument be-

27

gleitet: *Wenn* jemand die Wahrheit der Prämissen anerkennt, *dann* muß (oder sollte) er auch die Wahrheit der Konklusion anerkennen. Ein Argument, für das diese wenn-dann-Behauptung selbst wahr ist, nennt man ein *gültiges Argument*. Gültigkeit ist eine wenn-dann-Eigenschaft von Argumenten. Sie ist nicht wie Wahrheit und Falschheit eine Eigenschaft einzelner Behauptungen oder Aussagen. Ebensowenig kann umgekehrt ein Argument wahr oder falsch sein, obgleich jede seiner Prämissen und seine Konklusion wahr oder falsch sein können.

Da die Prämissen, die Konklusion sowie die Zwischenschritte eines Arguments alle Aussagen sind, können sie in der für Aussagen üblichen Weise als wahr beziehungsweise falsch bewertet werden. Wenn ein Argument gültig ist, dann wird es von wahren Prämissen zu einer wahren Konklusion führen. (Das genau *heißt* ‚gültig‘.) Einmal angenommen, die Konklusion, zu der ein Argument geführt hat, ist nicht wünschenswert. Sie sind nicht einverstanden damit, sind anderer Meinung. Sie glauben, daß die Konklusion falsch, oder schlimmer, absurd ist. Und deshalb möchten Sie sie gern angreifen. Wie sollen Sie dabei vorgehen?

Nun, es würde nicht ausreichen, die Konklusion einfach abzulehnen oder zu behaupten – ja selbst zu zeigen –, daß sie falsch oder absurd ist. Philosophische Kritik mag mit einer solchen Ablehnung beginnen, aber sie kann nicht dabei stehenbleiben. Denn philosophische Kritik ist ein *begründeter* Einspruch, und da gibt es ein Argument, mit dem man sich auseinandersetzen muß. Erinnern Sie sich an die Grundregel: Jede philosophische Position muß argumentativ begründet werden. Das gilt auch für Ihren Einspruch. Um eine Konklusion anzugreifen, ist es also nötig, den Argumentationsgang, auf den sie sich stützt, anzugreifen.

Vielleicht sind Sie fest überzeugt, daß das Argument nicht gut ist. Wie könnte es auch, wenn es zu einer falschen oder absurden Konklusion führt? Doch überzeugt sein ist nicht genug. Schließlich ist derjenige, der das Argument zuerst vorgebracht hat, sicherlich ebenso überzeugt, daß alles ganz in Ordnung ist. Er kann sogar zugeben, daß die Konklusion falsch oder paradox

28

aussieht. „Doch", wird er wahrscheinlich fortfahren, „das Argument *verpflichtet* uns zu ihr." Und wenn Sie weiter auf der Absurdität der Konklusion beharren, dann muß er höchstens zugestehen, daß das Argument uns zu einer absurden Konklusion verpflichtet. Aber es verpflichtet uns eben immer noch. Um nun solcher Verpflichtung zu *entgehen*, muß das Argument selbst und nicht nur die Konklusion zur Rechenschaft gezogen werden. Es reicht nicht zu glauben, daß etwas nicht stimmt. Sie müssen herausfinden, *was*. Mit anderen Worten, Sie müssen zeigen, was an dem Argument verkehrt ist. Denn wenn an ihm nichts verkehrt ist, wenn Sie es akzeptieren, dann sind Sie auch an seine Konklusion gebunden, wie falsch oder absurd sie Ihnen auch weiterhin vorkommen mag. Wie also kritisiert man ein Argument?

Nun, was kann an einer Argumentation verkehrt sein? Wenn das Argument gültig ist, dann wird es von wahren Prämissen zu einer wahren Konklusion gelangen. Wenn es Ihrer Meinung nach zu einer falschen Konklusion geführt hat, dann gibt es nur zwei Möglichkeiten: entweder ging es *nicht* von wahren Prämissen aus, oder das Argument ist *nicht* gültig. Das erlaubt uns zwei Arten von Einwänden. Wir können die Gültigkeit des Arguments in Frage stellen, oder wir können eine der Prämissen bestreiten. Ich will mir etwas Zeit nehmen, diese Einwände nacheinander zu betrachten.

a) falsche Prämissen

b) ungültige Argument

Gültigkeit und Ungültigkeit: Modelle bilden

Eine Prämisse in einem Argument angreifen, hieße, seinen Inhalt – die wesentlichen Thesen von denen es ausgeht – angreifen. In der Philosophie macht diese Art von Einspruch besondere Probleme, über die ich gleich sprechen werde. Aber ein Argument ist mehr als eine bloße Sammlung von Aussagen. Es ist eine Sammlung von Aussagen, die dazu bestimmt sind, sich wechselseitig zu stützen. Erinnern Sie sich an die wenn-dann-Behauptung, die ein Argument begleitet: „*Wenn* jemand die

Wahrheit der Prämissen anerkennt, *dann* muß (oder sollte) er auch die Wahrheit der Konklusion anerkennen." Die Konklusion sollte *aus den Prämissen folgen.* Und das ist ebenfalls bestreitbar.

Mit anderen Worten, Sie können die Gültigkeit eines Arguments in Zweifel ziehen. Sie können seine Form angreifen. Und Sie können das tun, selbst wenn Sie alle Prämissen des Arguments akzeptieren. Während sich eine inhaltliche Kritik gegen eine oder mehrere Prämissen einzeln mit dem Einwand richtet: „Das ist nicht wahr!", konzentriert sich die vorliegende Kritik auf die *Beziehung* zwischen der Konklusion und allen Prämissen, und ihr Einwand lautet: „Das folgt nicht daraus!".

Logik Das allgemeine, theoretische Erforschen von Gültigkeit und Ungültigkeit, das Untersuchen, was woraus folgt, nennt man *Logik.* Da das Argumentieren für die philosophische Arbeit zentral ist, stellt die Logik eines der wichtigsten begrifflichen Werkzeuge des Philosophen dar. Infolge der Entwicklung der symbolischen beziehungsweise mathematischen Logik im zwanzigsten Jahrhundert, hat sich Logik als ein unabhängiges Spezialgebiet an der Grenze zwischen Philosophie und Mathematik herausgebildet. (Und, wie Sie sich schon denken werden, gibt es jetzt auch etwas, das man „die Philosophie der Logik" nennt.)

Obwohl vieles an philosophischen Argumentationen zu komplex ist, als daß es sich vollständig auf mathematische Formen reduzieren ließe, ist nicht zu leugnen, daß die Rückwirkungen der symbolischen Logik auf traditionelle philosophische Fragen eine beachtliche Klärung zustandegebracht haben, wodurch das philosophische Denken von vielen ungültigen Argumenten gereinigt worden ist, Argumenten, die vorher wahre Dauerbrenner waren. Als besonders hilfreich erwies sich die symbolische Logik, als es darum ging, gültige und ungültige Schlußverfahren zu unterscheiden, die auf den logischen Beziehungen zwischen den Quantoren ‚jeder', ‚alle', ‚einige', ‚kein' und den Modalitäten ‚notwendig', ‚möglich' und ‚unmöglich' beruhen. Infolgedessen sind Studenten, die ihr Philosophiestudium über das elementare Stadium hinaus einigermaßen ernsthaft betreiben wollen, gut beraten, sich wenigstens mit den Grundlagen der symbolischen Technik vertraut zu machen. Doch da Philosophen seit vielen hundert Jahren ohne diese mathematischen Hilfsmittel mit den Begriffen „Gültigkeit" und „Ungültigkeit" gearbeitet haben, kann man offenbar auch einiges erreichen, ohne sich auf solch ein spezielles Studium einzulassen. Dem wollen wir uns als nächstes ausführlicher zuwenden.

Das Entscheidende an Gültigkeit und Ungültigkeit ist, daß sie wesentlich von der Form der Argumente abhängen, von dem Muster von Beziehungen, das zwischen verschiedenen Begriffen besteht. Dementsprechend sind sie weitgehend unabhängig von den speziellen Inhalten der Argumente, unabhängig von den bestimmten Begriffen, die in das Beziehungsmuster eingehen. *Beziehung* Gerade dadurch ist es möglich, logische Begriffe mathematisch *statt* zu fassen. Es ist im Grunde nur eine andere Art, den wenn- *Inhalt* dann-Charakter von Gültigkeit zu unterstreichen: *Wenn* die Prämissen wahr sind, dann muß die Konklusion auch wahr sein. Und das sollten wir von einem Argument doch sicher wissen können, ohne zu wissen, *ob* die Prämissen oder die Konklusion wahr sind. Also kann man die logische Bewertung von Argumenten erleichtern, indem man sich mit den immer wiederkehrenden Argumentationsmustern vertraut macht und ihnen gegenüber Sensibilität entwickelt. Selbst eine kurze Zeit im Philosophiestudium reicht aus, um sich mit einem ansehnlichen Bestand gültiger und ungültiger Muster auszustatten, auf die man zurückgreifen kann. Doch wäre es nützlich, zusätzlich einen generellen Weg zur Beurteilung von Gültigkeit und Ungültigkeit mancher, vielleicht unbekannterer Denkmuster in einem philosophischen Argument zur Verfügung zu haben – wenn schon kein mechanisches Testverfahren für Schlüssigkeit, so doch wenigstens einen modus operandi, der, richtig angewandt, uns vor einer unerwünschten Konklusion bewahren könnte, indem mit seiner Hilfe erfolgreich die Gültigkeit des Arguments bestritten wird, das zu einer solchen Konklusion zu führen scheint.

Gültige Argumentationsmuster haben ein Charakteristikum, das solch einen generellen Zugang ermöglicht, nämlich daß sie notwendig von Wahrheit zu Wahrheit führen. Da ist wieder unsere wenn-dann-Behauptung: Wenn die Prämissen wahr sind, dann muß auch die Konklusion wahr sein. Umgekehrt gilt, wenn ein Argumentationsmuster von Wahrheit zu Falschheit führen *kann*, so kann es folglich kein gültiges Muster sein. Diese Feststellung liefert uns eine Handhabe, Ungültigkeit zu beweisen. Denn wir können zeigen, daß ein Argumentationsmuster ungültig ist, wenn sich ein anderes Argument finden läßt, das zwar *dasselbe* Muster hat, das jedoch von offensichtlich annehmbaren Prämissen zu einer offensichtlich unannehmbaren Konklusion führt, das heißt, zu einer Konklusion, die *alle* Teilnehmer einer Diskussion für falsch halten. Darin besteht die Technik des *Modellebildens*. Sie extrahieren aus dem zur Diskussion stehenden Argument das Beziehungsmuster, das dem Übergang von den Prämissen zur Konklusion zugrundeliegt, und bilden nach diesem Modell ein zweites Argument, das von unbestreitbar wahren Prämissen zu einer unbestreitbar falschen Konklusion führt. Wenn Sie das tun können, dann haben Sie bewiesen, daß Prämissen und Konklusion eines Arguments in einem solchen Beziehungsmuster zueinander stehen *können*, selbst wenn die Prämissen wahr sind und die Konklusion falsch ist. Folglich verpflichtet Sie die Tatsache, daß die Prämissen des ursprünglichen Arguments wahr sind und *tatsächlich* nach diesem Muster zur ursprünglichen Konklusion in Beziehung stehen, nicht von selbst dazu, die Wahrheit dieser Konklusion zu akzeptieren.

Ein Beispiel soll das verdeutlichen. Hier sind zwei kurze Stellen aus Descartes' erster *Meditation*:

I. Alles nämlich, was ich bisher am ehesten für wahr angenommen, habe ich von den Sinnen oder durch Vermittelung der Sinne empfangen. Nun aber bin ich dahinter gekommen, daß diese uns bisweilen täuschen, und es ist ein Gebot der Klugheit, niemals denen ganz zu trauen, die auch nur einmal uns getäuscht haben.

II. Aber vielleicht hat Gott nicht gewollt, daß ich mich so täusche, heißt er doch der Allgütige? – Allein wenn es mit seiner Güte unvereinbar wäre, daß er mich so geschaffen, daß ich mich stets täusche, so schiene es doch ebensowenig dieser Eigenschaft entsprechend, daß ich mich bisweilen täusche, welch letzteres sicherlich doch der Fall ist.[1]

Wir werden uns nicht mit der Rolle dieser Stellen im größeren Kontext Descartes' befassen, auch nicht mit der breiten Vielfalt philosophischer Fragen, die man an ihre Bedeutung oder ihre Voraussetzungen stellen könnte. Jeder dieser Abschnitte enthält oder zumindest verweist auf ein kleines Argument, und damit wollen wir uns beschäftigen. In beiden Passagen, so kann man Descartes verstehen, behauptet er, daß etwas immer geschehen könnte. In der ersten Stelle deutet er an, es könnte der Fall sein, daß ihn seine Sinne immer täuschen, in der zweiten, es könnte der Fall sein, daß Gott diese Täuschung immer zuläßt. Und in beiden liefert er einen Grund für die Annahme, daß es so ist. Im ersten Fall ist seine Begründung, daß seine Sinne ihn manchmal täuschen; im zweiten, daß Gott manchmal zuläßt, daß er sich täuscht. So können wir aus diesen Stellen, ohne ihnen viel Gewalt anzutun, zwei saubere Argumente extrahieren, von denen jedes eine Prämisse und eine Konklusion besitzt:

A 1   Meine Sinne trügen mich manchmal.
_____
Deshalb kann es sein, daß meine Sinne mich immer trügen.

A 2   Gott läßt manchmal zu, daß ich mich täusche.
_____
Deshalb kann es sein, daß Gott immer zuläßt, daß ich mich täusche.

Haben wir die Dinge erst einmal auf diese Weise geordnet, läßt eine kurze Prüfung vermuten, daß wir es mit zwei Beispielen ein und desselben Argumentationsmusters zu tun haben. Die

---

1 René Descartes, *Meditationen über die Grundlagen der Philosophie* (1. Medit., Abs. 5 und 11), Hamburg: Meiner 1972, S. 12, dt. von A. Buchenau.

gemeinsame Form dieser beiden Argumente läßt sich wiedergeben, indem man, was gemeinsam ist, unverändert beibehält und
die spezifischen inhaltlichen Unterschiede durch „dummies" oder
Platzhalter ersetzt. Versuchen wir das mit A 1 und A 2, wobei
wir die Argumente grammatisch etwas angleichen, dann erhalten wir:

A* X ist manchmal F.
_____

Deshalb kann es sein, daß X immer F ist.

Wenn wir den Buchstaben ‚X' durch ‚meine Sinne' ersetzen und
den Buchstaben ‚F' durch ‚trügerisch', dann erhalten wir das Argument *A 1*. Wenn wir ‚X' durch ‚Gott' ersetzen und ‚F' durch
‚läßt es zu, daß ich mich täusche', dann erhalten wir das Argument *A 2*. Jetzt haben wir das genaue Abbild des Beziehungs-
musters zwischen Prämisse und Konklusion, das wir brauchen,
um die Technik des Modellbildens anzuwenden.

Als nächstes müssen wir ein anderes Argument *derselben*
Form beibringen, das eine unbestreitbar wahre Prämisse und
eine unbestreitbar falsche Konklusion besitzt. Anders ausgedrückt, wir brauchen irgendwelche anderen Einsetzungen für
‚X' und ‚F' in A*, so daß der Satz, den wir erhalten, wenn wir
sie in der Prämisse einsetzen, eindeutig wahr ist und der Satz,
den wir erhalten, wenn wir sie in der Konklusion einsetzen, eindeutig falsch ist. Wie sich zeigt, ist dies eine ungültige Form,
und es gibt viele mögliche Paare von Ausdrücken, die sich hier
benutzen ließen. Sie können sich vielleicht selbst welche ausden-
ken; ich will mal das folgende nehmen; Ersetzen wir ‚X' durch
‚Gemälde' und ‚F' durch ‚Fälschungen', dann erhalten wir das
folgende Argument:

A 3   Gemälde sind manchmal Fälschungen.
_____

Deshalb könnte es sein, daß Gemälde immer Fälschungen
sind.

Die Prämisse von *A 3* ist – das ist nun einmal eine Tatsache – eindeutig wahr. Aber die Konklusion von *A 3* ist falsch. Denn ein gefälschtes Gemälde ist die *Kopie* irgendeines Originals, und unmöglich könnten *alle* Gemälde Kopien sein. Wären alle Gemälde Kopien, dann wäre kein Gemälde ein Original, wenn aber kein Gemälde ein Original ist, dann gibt es nichts, *wovon* die angeblichen Kopien kopiert sein könnten. Demnach ist das *Argumentationsmuster A** ein ungültiges Muster, und folglich sind die beiden früheren Argumente *A 1* und *A 2* ungültige Argumente.

Es ist wichtig, genau zu erfassen, was wir hier gezeigt haben. Vor allem haben wir nicht gezeigt, daß die Konklusionen von *A 1* und *A 2* falsch sind. Sie erinnern sich, Gültigkeit ist eine wenn-dann-Eigenschaft von Argumenten. Also haben wir nicht bewiesen, daß es nicht immer sein könnte, daß meine Sinne trügerisch sind. Und wir haben auch nicht bewiesen, daß es nicht immer sein könnte, daß Gott, trotz seiner mutmaßlich vollkommenen Güte, zuläßt, daß ich mich täusche. Um das eine oder andere zu zeigen, bedürfte es aber eines weiteren, ganz anderen Arguments. *Gezeigt* haben wir, daß die Tatsache, daß die Sinne manchmal trügerisch sind, allein kein hinreichender Grund für die Annahme ist, daß sie immer trügerisch sind, und daß die Tatsache, daß Gott manchmal zuläßt, daß ich mich irre, allein kein hinreichender Grund ist zu glauben, daß er es immer zuläßt. Mit anderen Worten, wir haben gezeigt, daß die Konklusionen in *A 1* und *A 2* nicht aus den Prämissen dieser Argumente *folgen* und daß die Anerkennung der Prämissen als wahr, uns nicht *verpflichtet*, auch die Konklusionen als wahr anzunehmen. Wir können die Prämissen akzeptieren und dennoch die Konklusionen verneinen, ohne in irgendwelche Schwierigkeiten zu geraten. Wir haben nicht entschieden, ob Descartes' Konklusionen wahr oder falsch sind. Entschieden haben wir, daß er seine These, sei sie nun wahr oder falsch, noch nicht erfolgreich bewiesen hat. Folglich ist uns, selbst wenn wir seine Prämissen anerkennen sollten, freigestellt, seine Konklusionen abzulehnen.

Prämisse wahr → muss nicht Konklusion wahr

(Descartes ist freilich damit nicht abgetan. Er hat eine Menge weiterer Pfeile im Köcher. Dies waren nur winzige Textausschnitte.)

Prinzen und Frösche: ein paar klassische Beispiele

Modellargumente für die Überprüfung von Argumentformen lassen sich natürlich leichter finden, wenn man eine Ahnung hat, wonach man sucht, das heißt, wenn man in etwa weiß, welche Form das Argument haben *könnte*. Deshalb wäre es ideal, man besäße eine Art „Checkliste", ein vollständiges Verzeichnis aller *möglichen* Argumentformen, so daß zwangsläufig eine davon die Argumentform wäre, die man beurteilen möchte. Leider ist das ganz unmöglich. Es gibt unzählige Argumentformen, manche sind unglaublich komplex und verwickelt, und es läßt sich keineswegs vorhersagen, was ein Philosoph vorbringen oder auch nicht vorbringen wird, um die eigene Sache zu beweisen.

Was wir jedoch tun *können*, ist, eine Auswahl von *einigen* nützlichen und oft gebrauchten Argumentationsmustern zusammenzustellen, Mustern, die auch häufig als *Teile* jener größeren und komplizierteren Argumente auftreten, wie sie von Philosophen wirklich zur Verteidigung ihrer Behauptungen entwickelt und gebraucht werden. In der Tat wird es hilfreich sein, sowohl einige Beispiele für gültige wie auch für *un*gültige Argumentformen zu haben – für Prinzen und für Frösche sozusagen –, da eben auch Philosophen keine unfehlbaren Logiker sind, und ab und zu in einer philosophischen Argumentation ein ungültiger Froschhüpfer, fröhlich als prinzenhaft gültiges Argument verkleidet, zu finden ist.

Beim deduktiven Argumentieren sind für den Erfolg (oder Mißerfolg!) gewisse „kleine Wörter" entscheidend, die das logische Verhältnis zwischen den aufgestellten Behauptungen anzeigen: ‚wenn ... dann‘, ‚nicht‘, ‚entweder ... oder‘, ‚sowohl ... als auch‘, ‚alle‘, ‚jeder‘, ‚ein‘, ‚kein‘ und ähnliche. Wir können daher das „logische Skelett" herausfinden, indem wir nach den durch solche kleinen Wörter gebildeten Mustern suchen, die sich zeigen, wenn wir von den spezifischen *Gegenständen* einmal absehen, *über* die gesprochen wird. Es bietet sich deshalb an, ausgewählte Argumentbeispiele nach jenen kleineren Wörtern zu ordnen, und diesen Weg will ich hier gehen. Als Prämissen und Konklusionen werde ich ganz einfach ein paar dramatische „philosophische" Behauptungen wählen. Da Gültigkeit eine wenn-dann-Eigenschaft von Argumenten ist, spielt es für das, worum es hier geht, keine Rolle, ob diese Prämissen und Konklusionen *tatsächlich* wahr oder falsch sind, auch wenn Sie sicherlich zu einigen von ihnen eine bestimmte Meinung haben. Vielleicht werden Sie sich auch fragen, wie man es anfangen mag, nicht nur die *Form* eines Arguments, sondern auch seinen *Inhalt* zu beurteilen – wie man zum Beispiel am besten die *Wahrheit* einiger dieser Prämissen bestreiten könnte. Erfreulicherweise kann ich Ihnen mitteilen, daß eben dies Thema des *nächsten* Kapitels sein wird.

1. WENN ... DANN

WENN Abtreibung Mord ist, DANN ist Abtreibung moralisch falsch.
Abtreibung *ist* Mord.

Also ist Abtreibung moralisch falsch.

Diese prinzenhaft gültige Argumentform:

WENN p DANN q
p

(Daher) q

ist vielleicht das einfachste und klarste Muster für korrektes Schließen. Sie hat den klassischen lateinischen Namen „modus ponens". Ihr Gegenstück, die „Bejahung des Nachsatzes" (affirming the consequent) ist ein ungültiger Frosch:

$$\frac{\text{WENN } p \text{ DANN } q}{q}$$

(Daher) p

Zum Beispiel:

[Frosch]

WENN die Welt von Gott geschaffen wurde, DANN
zeigt sie Ordnung und Gesetzmäßigkeit.
Die Welt zeigt *tatsächlich* Ordnung und Gesetzmäßigkeit.

Daher wurde die Welt von Gott geschaffen.

Wir können die Ungültigkeit dieser zweiten Argumentform
recht einfach durch die Technik des Modellebildens erweisen.
Nehmen wir beispielsweise meinen Hund Spot:

WENN Spot eine Katze wäre, DANN hätte er vier Beine
und einen Schwanz.
Spot hat *tatsächlich* vier Beine und einen Schwanz.

Folglich *ist* Spot eine Katze.

Beide Prämissen dieses kleinen Modellarguments sind eindeutig
wahr. Seine Konklusion ist jedoch ebenso eindeutig falsch. Das
Argument ist demnach ungültig (da kein gültiges Argument von
wahren Prämissen zu einer falschen Konklusion führen kann),
und seine Form – „die Bejahung des Nachsatzes"– ist tatsächlich ein echter Frosch. (In Zukunft werde ich es allerdings meist
Ihnen überlassen, selbst eigene Modelle zu finden, um den
Froschcharakter der angeführten ungültigen Argumentformen
zu beweisen.)

2. WENN ... DANN in Verbindung mit NICHT

Führen wir ein ‚nicht' in unsere ‚wenn ... dann'-Argumenta-
tion ein, dann erhalten wir eine Art Spiegelbild des reinen
‚wenn ... dann'-Falles. Ein Prinzenargument sieht dann so aus:

38

WENN mentale Zustände Zustände des Gehirns sind,
DANN sind sie räumlich lokalisiert.
Mentale Zustände sind aber NICHT räumlich lokalisiert.

Daher sind mentale Zustände NICHT Zustände des Gehirns.

Als Skelett:

WENN p DANN q
NICHT q

(Daher) NICHT p

In diesem Fall imitiert der ungültige, betrügerische Frosch die Form unseres prinzenhaften modus ponens-Arguments:

WENN Gott im mindesten böse wäre, DANN könnte die Welt besser sein, als sie ist.
Doch Gott ist NICHT im mindesten böse.

Deshalb kann die Welt auch NICHT besser sein, als sie ist.

Oder als Skelett:

WENN p DANN q
NICHT p

(Daher) NICHT q

Es ist wichtig, beim Bauen von Skeletten zum Modellebilden darauf zu achten, daß ein Wort, eine Gruppe von Wörtern oder ein Satz, wann immer sie auftreten durch *denselben* stellvertretenden Buchstaben ersetzt werden – und umgekehrt, wenn man dann das Modellargument vorführt, zu beachten, daß jeder „Stellvertreter" im Skelett, wann immer *er* auftritt, durch *dieselben* Worte oder *denselben* Satz ersetzt wird. Nur so können

Sie sicher sein, daß das Modellargument, das dabei herauskommt, wirklich dieselbe Form hat wie das Argument, das Sie
kritisch beurteilen wollten.

3. SOWOHL ... ALS AUCH in Verbindung mit NICHT

‚Sowohl ... als auch' allein ist natürlich ein recht einfacher
Fall. Wenn jedoch ‚sowohl ... als auch' mit ‚nicht' verbunden ist,
laufen wir wieder Gefahr, einen ungültigen Frosch mit einem
gültigen Prinzen zu verwechseln. Das Prinzargument sieht so
aus:

Prinz

> Raum kann NICHT SOWOHL endlich ALS AUCH un-
>   begrenzt sein.
> Raum *ist* unbegrenzt.
> _____
> Also ist Raum NICHT endlich.

(Übrigens, falls es Sie interessiert: Die erste Prämisse dieses Arguments ist tatsächlich falsch. Ich will aber hier nichts über seine
Konklusion sagen.) Wenn wir dies gültige Argument zerlegen,
erhalten wir die Form:

> NICHT SOWOHL p ALS AUCH q
> q
> _____
> (Daher) NICHT p

Leider ist da ein Frosch in Sicht.

Frosch
(da es auch
nichts von
beiden sein
kann)

> Töten aus Mitleid kann NICHT SOWOHL eine morali-
>   sche Pflicht ALS AUCH moralisch falsch sein.
> Es ist sicher NICHT moralische Pflicht.
> _____
> Also muß es moralisch falsch sein, aus Mitleid zu töten.

Hier sieht unser Skelett so aus:

NICHT SOWOHL p ALS AUCH q
NICHT p
_____

(Daher) q

Und obgleich es unserem echten Prinzen täuschend ähnelt, wird
Sie ein bißchen Nachdenken, ein bißchen Suchen nach Modell-
argumenten davon überzeugen, daß es sich in Wirklichkeit um
einen verkleideten Frosch handelt. (Bedenken Sie zum Beispiel,
daß Töten aus Mitleid unter Umständen *weder* eine moralische
Pflicht *noch* moralisch falsch sein mag. Beispielsweise könnte es
manchmal einfach *erlaubt* sein, ohne jemals überhaupt moralische Pflicht zu sein.)

4. *ENTWEDER ... ODER in Verbindung mit NICHT*

Bei ‚oder‘ ist der Fall dadurch komplizierter, daß dies Wort
sowohl *ausschließend* als auch *einschließend* gebraucht wird.
Das heißt, manchmal bedeutet ‚A oder B‘ soviel wie ‚entweder
A oder B, aber *nicht* beides‘ (z. B.: „Ich werde Abigail oder
Betty zum Tanz auffordern“), während es ein andermal so viel
bedeutet wie ‚entweder A oder B *oder* beides‘ (z. B.: „Bitte nehmen Sie doch ruhig noch von den Avocados oder Bohnen“).
Gleichgültig jedoch, ob ‚oder‘ ausschließend oder einschließend
gebraucht wird: Wenn wir eine der Alternativen ausschalten, so
können wir gültig schließen, daß die verbleibende Alternative
tatsächlich gilt. Mit anderen Worten, Argumente der Form:

ENTWEDER p ODER q
NICHT p
_____

(Daher) q

sind immer gültig. Als Beispiel können wir nehmen:

Werte sind ENTWEDER, wie Farben, zu entdeckende Eigenschaften von Gegenständen, ODER sie sind konventionelle Setzungen, die auf willkürlichen menschlichen Entscheidungen beruhen.

Werte sind aber offenbar NICHT zu entdeckende Eigenschaften von Gegenständen.

Also müssen Werte konventionelle Setzungen sein, die auf willkürlichen menschlichen Entscheidungen beruhen.

Beachten Sie, daß diese Argumentation von der *Falschheit* der einen Alternative zur *Wahrheit* der anderen Alternative übergeht. Nun könnten wir auch versucht sein anzunehmen, es sei ebenso richtig, von der *Wahrheit* der einen Alternative zur *Falschheit* der anderen überzugehen. Das heißt, wir könnten versucht sein, die Form zu akzeptieren:

ENTWEDER p ODER q

p

(Daher) NICHT q

und *manchmal* wird uns das auch gar keine Schwierigkeiten machen. Besonders dann wissen wir uns in Sicherheit, wenn es eine logische Garantie dafür gibt, daß p und q sich wechselseitig ausschließen, wenn beispielsweise die Alternative q einfach die Negation der Alternative p ist wie in dem Argument:

Judiths Argument ist ENTWEDER gültig ODER ungültig.

Wie wir gesehen haben, ist ihr Argument gültig.

Daher ist es NICHT ungültig.

Dennoch können wir diese Argumentform nicht als echten Prinzen akzeptieren, denn manchmal kann sie uns eben doch in Schwierigkeiten bringen. Das heißt, manchmal *kann* diese Argu-

42

mentform von wahren Prämissen zu falschen Konklusionen führen. Und zwar immer dann, wenn ‚oder' *einschließend* gebraucht ist wie etwa in dem Argument:

> Unsere Überprüfung hat ergeben, daß ENTWEDER Ihre Lichtmaschine ODER Ihr Verteiler defekt ist. *(Frosch)*
> Jetzt ist Ihre Lichtmaschine defekt.
>
> _____
>
> Also ist Ihr Verteiler NICHT defekt. *oder: ausschließend*

Hier kann es natürlich gut sein, daß BEIDES kaputt ist, die Lichtmaschine UND der Verteiler. Nur wenn wir eine zusätzliche Prämisse hätten, um diese dritte Möglichkeit auszuschließen (sagen wir durch weitere Tests), wären wir zu der Folgerung berechtigt, die defekte Lichtmaschine *allein* sei das Problem. Mit anderen Worten, wenn ‚oder' in dieser einschließenden Bedeutung verwendet sein könnte, brauchen wir nicht ein Argument der gerade untersuchten Form, sondern ein komplizierteres Argument der Form:

> ENTWEDER p ODER q
> NICHT SOWOHL p ALS AUCH q
> p
>
> _____
>
> (Daher) NICHT q

(Wenn Sie auf Draht sind, werden Sie auch gemerkt haben, daß in *dieser* Argumentform die erste Prämisse (‚entweder ... oder') schlicht überflüssig ist!) Selbstverständlich können wir bei keinem *interessanten* ‚entweder ... oder'-Argument bloß durch Hinsehen sagen, ob man das ‚oder' richtig als einschließend oder ausschließend zu verstehen hat. So ist zum Beispiel in dem Argument:

> Empfindungen sind ENTWEDER mental ODER physisch.
> Empfindungen sind mental.
>
> _____
>
> Demnach sind Empfindungen NICHT physisch.

nicht klar, daß man, ohne ein weiteres Argument, die Möglichkeit ausschließen kann, daß Empfindungen BEIDES sind, mental UND physisch – und da wir diese Möglichkeit nicht ausgeschlossen haben, ist das Argument, so wie es dasteht, ungültig.

5. JEDER ... EIN

‚Jeder' und ‚ein' sind harmlos, solange sie für sich allein in Prämissen und Konklusionen auftreten. Erst wenn wir sie gemeinsam in einer einzigen Behauptung über die Beziehungen zwischen zwei Gruppen von Gegenständen vorfinden, sehen wir gelegentlich einen Frosch uns unter lauter Prinzen zublinzeln. Das läßt sich am einfachsten an mathematischen Beispielen verdeutlichen. Nehmen wir an, unsere zwei Gruppen von Gegenständen seien die positiven ganzen Zahlen (1,2,3,4 ...) sowie ganze Zahlen generell (negative Zahlen eingeschlossen). Da -1 kleiner ist als jede positive ganze Zahl, ist das folgende Prinzargument nicht nur gültig, sondern auch korrekt, das heißt, es hat eine wahre Prämisse und eine ebenso wahre Konklusion:

Es gibt EINE ganze Zahl, die kleiner ist als JEDE positive ganze Zahl.

Prinz
_____

Folglich gilt, für JEDE positive ganze Zahl gibt es EINE ganze Zahl, die kleiner ist als diese.

Nun mag es so aussehen, als *wiederholten* wir uns einfach mit der Konklusion dieses Arguments – doch darin liegt die Froschgefahr. Denn betrachten Sie das folgende Argument:

Für JEDE ganze Zahl gibt es EINE positive ganze Zahl, die größer ist als diese.

Frosch
_____

Daraus folgt, daß es EINE positive ganze Zahl gibt, die größer ist als JEDE ganze Zahl.

Hier „folgt" die Konklusion überhaupt nicht! Vielmehr widerspricht sie einem Sachverhalt, der uns unabhängig davon als wahr bekannt ist, nämlich daß es keine *größte* ganze Zahl gibt (denn wir können zu jeder ganzen Zahl immer noch 1 addieren und eine größere herstellen). Kurz, es ist wichtig, ‚jede' und ‚ein' in solchen Behauptungen in die richtige *Reihenfolge* zu bringen. Mit anderen Worten, während Argumente der folgenden Form gültig sind:

Es gibt EIN *x*, das in *R*-Relation zu JEDEM *y* steht.

(Daher) gibt es für JEDES *y* EIN *x*, das zu ihm in *R*-Relation steht.

sind es Argumente dieser Form *nicht*:

Für JEDES *x* gibt es EIN *y*, das zu ihm in *R*-Relation steht.

(Daher) gibt es EIN *y*, das in *R*-Relation zu JEDEM *x* steht.

Erinnern Sie sich nur an:

Für JEDEN Sohn gibt es EINE Frau, die seine Mutter ist.

Und bedenken Sie, daß falsch ist:

Es gibt EINE Frau, die die Mutter eines JEDEN Sohnes ist.

Dann werden Sie nie in die Irre gehen!

Wie ich schon sagte, ist die Menge möglicher Argumentformen unerschöpflich, und so bleibt die Entscheidung, die Sammlung von Beispielen an diesem oder jenem Punkt abzubrechen, letztlich eine Ermessensfrage. Sehr bald hätten wir dann gern irgendwelche *Universalschlüssel* für den Umgang mit *allen Arten* von Argumenten – und genau das liefert uns die Disziplin der formalen (mathematischen oder symbolischen) Logik. Wollte ich *hier* einen Minikurs in formaler Logik anbieten, so zeugte das von schlechtem Ermessen meinerseits. Der Gegenstand ist einfach zu komplex, als daß er sich in solcher Kürze nutzbringend abhandeln ließe. Richtig dagegen scheint mir, das Thema der Argumentformen nicht zu verlassen, ohne drei weitere gültige Denkmuster wenigstens erwähnt zu haben. Sie sind oft besonders nützlich – in der Tat so nützlich, daß sie sehr häufig auftauchen, wann immer Philosophen (oder auch Nichtphilosophen) den Versuch unternehmen, eine wahre Konklusion zu etablieren.

Das erste dieser Muster findet man gewöhnlich in „Fallunterscheidungen", bei Argumenten, in denen ein komplexer Sachverhalt in eine Reihe alternativer *Möglichkeiten* zerlegt ist. Wenn sich zeigen läßt, daß *jede* Alternative für sich ein bestimmtes Ergebnis impliziert, dann sind wir imstande – auch wenn wir nicht bestimmen können, welche der verschiedenen Möglichkeiten *tatsächlich* gegeben ist – dennoch gültig zu schließen, daß dies Ergebnis selbst wahr ist. Bei nur zwei alternativen Möglichkeiten *p* und *q* sieht das Muster beispielsweise so aus:

> ENTWEDER *p* ODER *q*
> WENN *p* DANN *r*
> WENN *q* DANN *r*
> _____
>
> (Daher) *r*

Ein Beispiel:

> Menschliche Handlungen sind ENTWEDER kausal determiniert ODER bloß zufällige Ereignisse.

WENN menschliche Handlungen durch äußere Ursachen determiniert sind, DANN entstehen sie nicht aus dem Einsatz unseres freien Willens.
Doch WENN menschliche Handlungen bloß zufällige Ereignisse sind, DANN können wir wieder nicht unseren freien Willen einsetzen.

Deshalb gibt es keinen freien Willen.

Wenn das Ergebnis solcher Überlegung unbequem ist (wie in dem Beispiel vielleicht), dann bezeichnet man das Argument oft als *Dilemma*. Die zwei alternativen Möglichkeiten, die in der ‚entweder ... oder'-Prämisse erwähnt sind, nennt man dann die *Hörner* des Dilemmas. Sie können dreierlei tun, wenn jemand droht, „Sie auf die Hörner des Dilemmas zu spießen". Sie können die *erste* ‚wenn ... dann'-Prämisse angreifen, das heißt, Sie nehmen die erste Alternative an, behaupten aber, das unwillkommene Ergebnis ergäbe sich nicht daraus. Das nennt man bei uns, „das erste Horn des Dilemmas schlucken". Oder Sie bestreiten auf die gleiche Weise die *zweite* ‚wenn ... dann'-Prämisse (Sie schlucken das zweite Horn des Dilemmas). Oder Sie greifen die ‚entweder ... oder'-Prämisse an. Das hieße zu behaupten, die *aufgezählten* alternativen Möglichkeiten stellten nicht *alle* vorhandenen Möglichkeiten dar, das heißt, etwas sei übersehen worden. Und das nennt man den „Versuch, das Dilemma zu unterlaufen".

Die übrigen zwei nützlichen Muster leiten beide ihre Konklusionen von *Hypothesen* ab. In diesen Fällen wird in einer der Prämissen nicht etwas *behauptet*, das der Argumentierende für wahr halten muß, sondern etwas, das er nur zeitweilig „um des Arguments willen" *annimmt*, um zu sehen, welche Konklusionen sich daraus ableiten ließen, *wenn* die Prämisse wahr wäre. Wie Sie sich denken können, wird dies Muster gewönlich dann gebraucht, wenn jemand eine Konklusion etablieren möchte, die selbst wenn-dann-Charakter hat. In dem Fall sieht das Skelett des Arguments etwa so aus:

47

ANGENOMMEN *p*

```
.                           )   Zwischenschritte eines
.                           )   Arguments, die zeigen,
.                           )   daß aus dem, was wir
.                           )   angenommen haben, q
.                           )   folgen würde.
q
```
_____

(Daher) WENN *p* DANN *q*

Hier ist ein Beispiel:

> ANGENOMMEN, es gäbe ein Wesen (nennen wir es „Otto"), das allwissend ist.
>
> Nun ist entweder wahr, daß ich nächsten Dienstag schwimmen gehen werde, oder es ist wahr, daß ich nächsten Dienstag *nicht* schwimmen gehen werde.
>
> Wenn wahr ist, daß ich nächsten Dienstag schwimmen gehen werde, dann *weiß* Otto jetzt, daß ich das tun werde (da ein allwissendes Wesen alles weiß).
>
> Und wenn wahr ist, daß ich nächsten Dienstag *nicht* schwimmen gehe, dann weiß Otto jetzt, daß ich es *nicht* tun werde.
>
> Also weiß Otto in beiden Fällen jetzt, was ich nächsten Dienstag tun werde.
>
> Aber dieselbe Schlußfolgerung läßt sich für *jede* meiner zukünftigen Handlungen ziehen.
>
> Also weiß Otto all meine zukünftigen Handlungen im voraus.
>
> Dann aber sind all meine zukünftigen Handlungen bereits *determiniert*, und ich bin nicht wirklich frei zu wählen, beispielsweise ob ich nächsten Dienstag schwimmen gehe oder nicht.

_____

Daher, WENN es ein allwissendes Wesen gibt, DANN haben die Menschen keinen freien Willen.

Die zweite, noch gebräuchlichere Anwendung solch hypothetischen Denkens dient zu zeigen, daß eine Behauptung falsch ist, indem man beweist: Wenn wir das Gegenteil annähmen (nämlich, daß die Behauptung *wahr* ist), ergäben sich katastrophale Folgen. In diesem Fall wären die „katastrophalen Folgen" natürlich nur *logisch* katastrophal – sie bestünden nämlich in der Ableitung von etwas *Absurdem*, entweder in der Ableitung eines direkten inneren Widerspruchs (oft zugleich die Negation gerade der Behauptung, von der man anfangs ausging) oder, weniger dramatisch, in der Ableitung einer weiteren Behauptung, die alle Diskussionsparteien übereinstimmend für offensichtlich einfach falsch halten. Diese Argumentform nennt man traditionell denn auch „reductio ad absurdum" („etwas ad absurdum führen"). In Skelettform sehen solche Argumente so aus:

ANGENOMMEN *p*

.	)	Zwischenschritte, die
.	)	zeigen, daß aus dem,
.	)	was wir angenommen
.	)	haben, *x* folgen würde.
.	)	(Etwas Absurdes!)
x		

(Daher) NICHT *p*

Für unser letztes Beispiel wollen wir auf die Insel der Ritter und Gauner reisen, die Raymond Smullyan, neben anderen merkwürdigen Gebieten, in seinem schönen Buch mit dem Titel: *Wie heißt dieses Buch? – Eine unterhaltsame Sammlung logischer Rätsel* (Wiesbaden 1981) bezaubernd detailliert erforscht hat. Über die Einwohner dieser Insel müssen Sie wissen, daß die Ritter *immer* die Wahrheit sagen, die Gauner jedoch *immer* lügen. Wenn Sie zwei Inselbewohner treffen, Ambrose und Boris, und Ambrose macht zufällig die Bemerkung: „Mindestens einer von uns ist ein Gauner", dann können Sie richtig schließen:

ANGENOMMEN, Ambrose ist ein Gauner.

Dann muß, was Ambrose sagte, falsch sein, da Gauner immer lügen.

Das heißt, es ist falsch, daß mindestens einer von ihnen ein Gauner ist.

Doch dann müssen beide, auch Ambrose, Ritter sein.

Das heißt, Ambrose muß sowohl Gauner als auch Ritter sein.

(Eine Absurdität!)

_____

Folglich ist Ambrose NICHT ein Gauner.

(In Parenthese: Sie können weiter schließen, daß Boris ein Gauner *ist*, da Ambrose, von dem Sie jetzt wissen, daß er ein Ritter ist, wahrheitsgemäß sagte, daß mindestens einer von ihnen ein Gauner sei.)

Dilemma, Argumentieren ausgehend von einer Hypothese und reductio ad absurdum — drei nützliche Muster. Aber wie wir schon mehrmals erwähnt haben, steckt in jedem Argument natürlich mehr als nur seine *Form*. Jedes Argument hat auch einen *Inhalt*, einen besonderen Bestand an Prämissen und Voraussetzungen, die von seinem Urheber als *wahr* ausgegeben werden. Wenn ein Argument formal einwandfrei ist, aber trotzdem in einer Konklusion endet, die Sie als falsch beurteilen, ist es nötig, sich über seinen Inhalt zu verständigen und eine dieser Prämissen oder Voraussetzungen direkt anzugreifen. Wie man das macht, ist, wie versprochen, Thema unseres nächsten Kapitels.

1. Dilemma
2. von Hypothesen ausgehend argumentieren
3. reductio ad absurdum

3. Der Inhalt eines Arguments

Prämissen bestreiten:
Wie man über bloße Meinungsverschiedenheiten hinauskommt

Ein erfahrener Philosoph mit einigermaßen sicherem Urteil wird natürlich nicht oft dabei ertappt werden können, schlicht ungültige Argumente vorzubringen. (Und als dies vor ein paar Jahren doch einmal einem bekannten Philosophen passierte, wurde daraus in den Zeitschriften ein ziemlich berüchtigter Fall, als seine Kollegen nämlich versuchten, ausfindig zu machen, was er sich möglicherweise gedacht haben könnte.) Gewöhnlich wird die Form des Arguments, das Denkmuster, selbst in Ordnung sein. Wenn die Argumentation zu einer unannehmbaren Konklusion führt, wird man deshalb eine oder mehrere Prämissen direkt angehen und die Wahrheit der Ausgangspunkte des Philosophen bestreiten müssen.

Wie schon bei den Konklusionen, genügt es nicht, bloß anderer Meinung zu sein. Eine Prämisse nur abzulehnen besagt, wie das bloße Ablehnen einer Konklusion, nichts weiter, als daß Meinungsunterschiede bestehen. Es reicht nicht zu *sagen*, daß eine Prämisse falsch ist und fallengelassen werden sollte. Man muß *zeigen*, daß sie falsch ist!

Aber Philosophie ist, wie Sie sich erinnern werden, eine Disziplin „zweiter Ordnung". Der Philosoph arbeitet einen Schritt von den Tatsachen „erster Ordnung" entfernt. Ihm fehlen gewöhnlich die primären Fachkenntnisse, um die Falschheit einer Prämisse durch direkten Rekurs auf Daten oder Experimente nachzuweisen. Was für eine Art von Einwand kann unter diesen Umständen gegen eine Prämisse ins Feld geführt werden?

Man muß dem Verteidiger der Prämisse – dem Philosophen der das Argument zuerst vorgebracht hat – einen *Grund* liefern, es fallenzulassen. Auch hier ist philosophische Kritik begründete Meinungsverschiedenheit. Doch wie kann man so eine Begründung zustandebringen, angesichts der Tatsache, daß Philosophie eine Disziplin „zweiter Ordnung" ist? Da gibt es eine elementare Technik – und wenn Sie sich die richtig zu eigen machen, dann sind Sie auf dem besten Wege, die ganze Besonderheit philosophischer Arbeit zu begreifen. Die Technik besteht darin, *interne* Kritik zu üben. Sie begegnen dem Philosophen nicht in den Archiven oder im Labor, sondern auf seinem eigenen Arbeitsfeld. Sie versuchen zu zeigen, daß der Philosoph die fragliche Prämisse nicht für wahr halten kann, wenn er *konsistent* sein will. Das heißt, Sie versuchen zu zeigen, daß der Philosoph oder die Philosophin im Zusammenhang mit anderen Überzeugungen, die sie für wahr halten, in Schwierigkeiten kommen, wenn sie die fragliche Prämisse akzeptieren; daß sie sich damit auf etwas Zusätzliches festlegen – im Idealfall auf etwas, das explizit abgelehnt worden ist, aber in jedem Fall auf etwas, das zurückgewiesen werden muß. (Später werde ich im einzelnen untersuchen, wie ein Philosoph „in Schwierigkeiten geraten kann". Jetzt will ich erst einmal nur einen zentralen Fall vorführen.)

Zu diesem Zweck konstruieren Sie selbst ein Argument – im Idealfall ein Argument, dessen Prämissen lauter Ansichten, Thesen, Behauptungen oder Positionen darstellen, die von dem zu prüfenden Philosophen akzeptiert werden (die fragliche Prämisse natürlich mit eingeschlossen), dessen Konklusion jedoch in einer These besteht, die er oder sie klar und ausdrücklich verwirft.

Lassen Sie mich das sehr langsam und sorgfältig durchgehen, denn wenn Sie den Punkt begreifen, haben Sie überwunden, was wahrscheinlich für das Verständnis des philosophischen Arbeitens das größte Hindernis darstellt. Angenommen, Philosoph 1 bietet ein Argument an, das von den Prämissen – sagen wir *A*, *B*, *C* – zu einer Konklusion – *T* – führt, und die Philosophin 2 glaubt, die Konklusion *T* sei falsch. Es gibt also eine Meinungsverschiedenheit. Philosophin 2 muß nun das *Argument* von Philosoph 1 angreifen. Anderenfalls hätten wir *bloß* Differenzen, aber keine offensichtliche Möglichkeit, darüber hinauszukommen. Nehmen wir an, das Argument sei formal in Ordnung. Dann richtet 2 ihr Augenmerk auf eine der Prämissen von 1, sagen wir *A*; sie glaubt, daß *A* falsch ist. Philosoph 1, der ja *A* als Prämisse angenommen hat, hält *A* offensichtlich für wahr. So haben sich die Differenzen verlagert; sie sind von *T* auf *A* übergegangen. Aber das Ziel des Spiels besteht darin, über *bloße* Differenzen hinauszugelangen. Also muß 2 versuchen, Philosoph 1 einen Grund zu liefern, damit er *A* aufgibt. Deshalb wird sie im einfachsten Fall folgendes tun: Neben *A, B, C* und *T* wird es andere Thesen geben – sagen wir *U, V, W* –, die 1 ausdrücklich anerkennt, und noch weitere – sagen wir *X, Y, Z* –, die er ausdrücklich verwirft. Philosophin 2 versucht nun, unter den akzeptierten Thesen eine Gruppe auszuwählen, die zusammen mit *A* eine der abgelehnten Thesen impliziert, sagen wir *X*. Mit anderen Worten, sie konstruiert ein Argument, das von den Prämissen *U, V . . . A* zur Konklusion *X* führt. Und wenn es sich dabei um ein gutes Argument handelt, sitzt 1 fest. Er muß *irgend etwas* aufgeben. Philosophin 2 schlägt natürlich sofort vor, daß *A* weg muß, womit *T* die Unterstützung entzogen wäre – was, wie Sie sich erinnern, der Ausgangspunkt des Ganzen war.

Aber 1 hat verschiedene Möglichkeiten. Er kann *A* aufgeben, wird dann jedoch ein *anderes* Argument für *T* anbieten. Oder er kann auf *U, V* oder *W* verzichten. Oder er kann seine Meinung über *X* ändern und seine übrigen Ansichten entsprechend modifizieren. Und er hat noch eine Möglichkeit, deren Erwägung die Studenten gewöhnlich am allermeisten entmutigt: 1 kann das von 2 vorgebrachte Argument kritisieren.

Denn natürlich sieht die Sache in Wirklichkeit nie so sauber aus, wie ich sie hingestellt habe. Normalerweise wird 2 ihr Gegenargument kaum *nur* aus den Prämissen *U, V . . . A*, die 1 explizit akzeptiert, aufbauen können. Gewöhnlich wird 2 noch Hilfsprämissen benötigen, sagen wir *D, E, F*, und 1 kann einer von ihnen widersprechen. Um das zu tun, wird 1 natürlich wieder ein anderes Argument konstruieren müssen. Und so geht es fort.

Mehrere wichtige Punkte ergeben sich aus der Untersuchung dieses Musters:

1. Am Anfang besteht zwischen den Philosophen 1 und 2 eine Meinungsverschiedenheit über die Wahrheit oder Falschheit einer, vielleicht einer sehr wichtigen These *T*. Aber weil philosophische Kritik auf die Argumente einzugehen verlangt, wird *T* als *sichtbares* Thema aus dem Gang der Diskussion bald verschwinden. Die eigentlichen Kämpfe finden in einiger Entfernung statt, sagen wir bei *A* und *E*.

2. Weiter geht aus dem Verlauf der Diskussion hervor, daß tatsächlich nicht nur um die isolierte These *T* gestritten wird, sondern um zwei ganze, systematisch zusammenhängende Meinungsgefüge, in die *T* beziehungsweise ihre Negation eingebettet ist. Denn eine Auseinandersetzung dieser Art findet nur dann ein Ende, wenn es einem der Streitgegner nicht gelingt, durch geeignete Einwände und Korrekturen seine oder ihre Position als *ganze* (d. h. alle Annahmen und Zurückweisungen) zur Kohärenz zu bringen.

3. Die wichtigste Beobachtung ist jedoch diese: Die Diskussion kommt dadurch vorwärts, daß Argumenten mit Argumenten begegnet wird. Und vom allerersten Schritt an gilt, daß, *worauf* sich ein Angriffsargument bezieht, immer Aspekt eines weiteren Arguments sein wird.

Die erste Beobachtung erklärt die scheinbare *Belanglosigkeit* mancher philosophischen Diskussion. Studienanfänger beklagen häufig, daß Philosophen es vorziehen, sich auf folgenlose Gedankenspielereien zu konzentrieren, anstatt wichtige Fragen zu diskutieren. Statt sich dem Problem zu stellen, „ob es eine unsterbliche Seele gibt", diskutieren sie: „Kann ich mir konsistenterweise vorstellen, selbst Zeuge meines eigenen Begräbnisses zu sein?". Statt die Frage anzugehen, „was die Grenzen perzeptiven Wissens sind", fragen sie: „Kann ich feststellen, ob ich wach bin oder träume?". Statt darüber zu diskutieren, „ob menschliches Handeln frei oder determiniert ist", überlegen die Philosophen: „Impliziert: ‚er hätte anders handeln können‘ auch ‚er hätte anders gehandelt, wenn er die Wahl gehabt hätte‘?". Und so fort. So frustrierend das alles für den Studenten häufig sein mag, können wir jetzt doch einsehen, daß es eine Folge der Eigenart philosophischer Probleme wie auch philosophischer Methode ist. Denn die großen Fragen, die wichtigen Thesen sind allemal so allgemein und so fundamental, daß es nicht fruchtbar wäre, direkt auf sie einzugehen. Ja, es ist überhaupt nicht klar, was es hieße, direkt auf sie einzugehen. Vielmehr muß man sie über ihre Voraussetzungen und ihre Folgen erforschen. Ein philosophisches Gefecht wird, wie ein militärischer Kampf, an mehreren Fronten gleichzeitig ausgetragen, und der endgültige Sieg hängt von langen Reihen taktischer Scharmützel und flankierender Manöver ab, die unvermeidbar und notwendig vorausgehen und die Grundlage für einen Großangriff im Zentrum schaffen. Und nicht selten ist der Krieg vorbei, wenn all die Vorbereitungsschlachten geschlagen und gewonnen sind. (Sehen Sie sich noch einmal das Zitat an, das diesem Buch als Motto vorangestellt ist.)

Die zweite Beobachtung erklärt die scheinbare *Endlosigkeit* philosophischer Dispute. Oft sind Studenten von der Tatsache beeindruckt, daß Philosophen endlos argumentieren. Niemals scheint etwas Neues zu geschehen; es sieht aus, als gäbe es keinen Fortschritt. Stattdessen läßt man die klassischen Positionen der großen Philosophen immer wieder aufleben, poliert sie auf und verfeinert sie. Doch soweit das wahr ist, ist es kein Fehler. Nicht, daß die heutigen Philosophen unfähig wären, neue Ideen zu entwickeln. Vielmehr besteht heute, weil die wichtigsten Stellungen hinsichtlich der großen Fragen bereits abgesteckt sind, die Aufgabe zumeist in dem Versuch, einige davon zu einer kohärenten Position zu verarbeiten. Ein Beitrag besteht heute dann oft darin, in einer traditionellen Position eine bisher unbeachtete Stärke zu entdecken oder einen Weg zu finden, um einem Einwand gegen irgendeine klassische philosophische Strategie zu begegnen, der lange für entscheidend gehalten wurde. Natürlich wird eine Diskussion zwischen zwei Philosophen immer auf dem Hintergrund gemeinsamer Überzeugungen und Voraussetzungen geführt, und gewöhnlich wartet hinter den Kulissen eine dritte Partei, mit Argumenten bewaffnet, um alle beide anzugreifen. Fest steht, daß systematische philosophische Ansichten eine verblüffend große Reichweite haben und daß das Unterfangen, Thesen zu den Themen Wissen, Existenz, Wahrheit, Denken, Sprache, Handeln und Werte zu einem kohärenten Begriffspaket zusammenzuschnüren, kaum überschätzt werden kann. Oft genug besteht der Trick nicht darin, Antworten zu geben, sondern erst die richtigen Fragen zu stellen.

Die dritte Beobachtung erklärt die scheinbare *Zwecklosigkeit* philosophischer Diskussionen. Es ist, als ob Philosophen sich hartnäckig weigerten, in aller Ruhe über Probleme zu sprechen und Tatsachen wahrzunehmen, sie gelten zu lassen und davon Gebrauch zu machen. Sie reden bloß immer über ihre wechselseitigen Argumente. Aus nicht-professioneller Perspektive sieht das nur zu leicht wie witzlose häusliche Streiterei aus. Sie aber sollten jetzt in der Lage sein einzusehen, daß philosophische Methode, gerade um witzlose Streitereien zu *vermeiden*, die Technik verlangt, Argumenten mit Argumenten zu begegnen. Die Forderung, Kritik solle auf das Argument eingehen, antwortet genau auf das Bedürfnis nach einer Methode, die – wenigstens potentiell – zu einem Ergebnis führt, nach einer Methode, die über bloße Meinungsverschiedenheiten hinausführen kann und den Hebel vernünftiger Argumentation so ansetzt, daß sich immerhin die Möglichkeit ergibt, wohlverschanzte philosophische Thesen und Ansichten aus ihrer Stellung zu werfen. Argumenten mit Argumenten begegnen, das ist der Kern der Sache. Ginge Kritik nicht auf diese Weise vor, hätten wir überhaupt noch kein Tätigwerden der Vernunft, sondern nur ein Ja- und Neinsagen. Und das wäre erst recht witzlose Streiterei.

Die Freuden und Gefahren der Dialektik

Die Punkte, die ich gerade eben hervorgehoben habe, sind wichtig genug für eine etwas ausführlichere Betrachtung. Wie wir gesehen haben, verlangt die philosophische Methode schon in den allereinfachsten Fällen, in denen die Annehmbarkeit einer Behauptung in Frage steht, eine ausgefeilte Struktur in der Abfolge der miteinander konkurrierenden Argumente. Die Meinungsverschiedenheit wird von Konklusionen auf Prämissen übertragen und von Prämissen auf Voraussetzungen; schließlich werden ganze Komplexe von Überzeugungen und intellektuellen Bindungen in die Auseinandersetzung mit hineingezogen. Vieles, was an dem Unternehmen anfangs unangenehm ist, wird weniger lästig sein, wenn man es in diesem Licht betrachtet; die einzelnen Schritte der Argumentation, auf scheinbar unwichtige Gedankenspiele gerichtet, werden nun als taktische Züge in einer größeren philosophischen Entwicklung erkannt. Am Ende geht es nicht darum, diese oder jene einzelne These, sondern die Konsistenz und Kohärenz eines ganzen Komplexes von Überzeugungen anzugreifen, in den die These eingebettet ist.

Also stehen in einer philosophischen Diskussion eigentlich nicht spezielle Behauptungen und Thesen zur Debatte, sondern umfängliche, mehr oder weniger systematische *Weltanschauungen*. Ein philosophischer Zusammenstoß ähnelt der Kollision zweier Eisberge. Was unter der Oberfläche liegt, ist größer als das, was über dem Wasser zu sehen ist, und es bestimmt dessen äußere Gestalt und Kraft. Philosophische Weltanschauungen sind auf besondere Art umfassend und elastisch. Sie formen unsere ganze Art und Weise, die Welt zu sehen. Der Gegensatz zwischen ihnen ist *dialektisch.*

Nun hat es in der Philosophie von Platon bis Marx viele Verwendungsweisen des Wortes ,dialektisch' gegeben. Was ich damit meine, ist von diesen historischen Wurzeln nicht unabhängig. Zwei Weltanschauungen stehen gerade dann in einem, wie ich das nenne, dialektischen Gegensatz, wenn sie zwar miteinander unvereinbar, aber trotzdem beide reizvoll sind, also jede von ihnen unmittelbar anziehend wirkt; wenn beide als zentrale Angelpunkte dienen, um ganze Komplexe von Überzeugungen zu ordnen und neu zu gruppieren; wenn beide sich stets neu formulieren, das heißt durch eine Vielfalt verschiedener, spezifischer Behauptungen oder Thesen ausdrücken lassen.

Denken Sie zum Beispiel an die theistische und die atheistische Weltanschauung. Manche Menschen sehen die Welt als das vollkommene Werk eines göttlichen Schöpfers, das erfüllt ist von seiner persönlichen, gütigen Gegenwart. Andere begegnen diesem Bild mit Verständnislosigkeit oder Feindseligkeit; sie sehen in der Welt nur komplexe Ströme und Interaktionen von Masse und Energie, das Wirken blinder und ganz und gar unpersönlicher Kräfte. Vielleicht haben die meisten Menschen beides von Zeit zu Zeit, manchmal begegnen sie der Welt mit heiliger Scheu und Ehrerbietung wie einem tiefen Mysterium und manchmal wie einem bloßen Gegenstand, der zwar nur unvollkommen verstanden, aber an sich durch und durch verständlich ist und eines Tages vollkommen durchschaut und beherrscht sein kann.

Unbestreitbar gibt es beide Tendenzen. Beide Bilder haben für uns eine unbestreitbare Anziehungskraft. Aber es ist klar, daß man, selbst mit aller Anstrengung zur Selbsttäuschung, nicht beide Bilder zugleich uneingeschränkt aufrechterhalten kann. Sie sind letztlich miteinander unvereinbar.

Wie läßt sich diese Unvereinbarkeit ausdrücken? Traditionell natürlich als eine Meinungsverschiedenheit über die *Behauptung*: „Gott existiert." Ein Philosoph bietet ein Argument für oder gegen diese Behauptung; ein anderer antwortet mit Kritik an dem Argument; der erste begegnet der Kritik des zweiten seinerseits mit Kritik; es fallen noch andere Stimmen in den Chor ein; und so geht es weiter. Wenn man aber diesen Dialog als eine Diskussion nur über die Wahrheit oder Falschheit einer einzelnen Behauptung ansieht, hat man den größeren, verborgenen Teil des Eisbergs übersehen.

Denn in gewissem Sinne tangiert die Frage alles. Einer der Diskussionsteilnehmer lebt beispielsweise in einem von Bedeutung durchdrungenen Universum: Es selbst und wir in ihm haben einen Zweck, existieren aus einem bestimmten Grund. Für einen anderen dagegen gilt: Wenn es überhaupt so etwas wie Sinn und Zweck gibt, dann nur menschliche Sinngebungen und Zwecksetzungen, denn wir sind nicht aufgrund eines Plans hier, sondern als das Ergebnis einer zufälligen Verbindung entsprechender Rohstoffe sowie der systematischen evolutionären Weiterentwicklung dieses ursprünglich zufälligen Zusammentreffens.

Wieder ein anderer Philosoph hält die Menschen für „ein wenig niedriger als Engel", für seelenvolle Wesen mit göttlichem Lebensfunken, denen die Freiheit gegeben ist, in Übereinstimmung mit Gottes Willen oder gegen ihn, zwischen Gut und Böse zu wählen. Für einen anderen stehen wir dagegen vielleicht nur „ein wenig höher als Affen", sind hochspezialisierte, deterministische, organische Datenverarbeitungsmaschinen, die all jene Werte selbst schaffen, welche im Verlauf unserer wechselseitigen Interaktionen und unserer fortgesetzten Anpassung an ein Universum aus wertfreier und gleichgültiger Materie vorkommen. Für den einen ist Tod der Übergang zu einem höheren Leben, für den anderen ist er nur die äußerste Form der Dysfunktion.

Jede dieser unterschiedlichen Auffassungen und noch viele andere können zu einem Fokus werden, von dem der dialektische Prozeß, Argumenten mit Argumenten zu begegnen, ausgeht. Menschen haben Seelen – oder sie haben keine. Es gibt ein Leben nach dem Tod – oder es gibt keins. Wir haben einen freien Willen – oder wir sind determiniert. Es gibt letzte Werte – oder alle Werte beruhen auf Konventionen. Allein durch sinnliche Wahrnehmung sind wir fähig, Wissen zu schöpfen – oder mystische Erfahrung eröffnet uns den Zugang zu einer höheren Realität. Worin auch immer die einzelne These besteht, das letzte Ziel des ganzen Unterfangens bleibt dasselbe, nämlich aus den Teilen, die in dem bevorzugten Bild verwurzelt sind, ein konsistentes, kohärentes, klar geordnetes und systematisches Ganzes zusammenzusetzen, das kritischen Angriffen widerstehen kann, eine Synthese zu konstruieren, die der Analyse standhält.

Von Zeit zu Zeit verlagert sich der Mittelpunkt. Eine These wird neu formuliert. Dem Anfänger erscheint das bloß als ein weiterer Schritt in dem endlosen und unabschließbaren Prozeß der Erneuerung von Argumenten. Aber sonderbar genug, es ist ein Fortschritt. Mit jeder solchen Neuformulierung kommt mehr von dem, was in Frage steht, ans Licht; ein etwas größeres Stück des Eisbergs taucht aus dem Wasser. Oft besteht der Trick darin, die richtigen Fragen zu stellen. Jede Verlagerung des Mittelpunkts liefert uns noch mehr gute Fragestellungen.

Selbst wenn der Mittelpunkt konstant bleibt, verändert sich von Zeit zu Zeit der Fokus. Die Argumentation wendet sich immer kleineren Details zu. Sinnlose Haarspalterei, denkt der Anfänger. Aber auch das ist Fortschritt. Denn eine komplexe und systematische philosophische Weltanschauung zerfällt nicht einfach. Dafür hat sie zu viel Spannkraft. Wenn überhaupt Inkonsistenz und Inkohärenz vorhanden sind, dann werden sie sich genau in den feinen Details offenbaren, in der Unfähigkeit des Ganzen, eine wirksame Kritik an irgendeinem winzigen Teil zu verkraften.

So wird philosophischer Fortschritt gemacht. Und deshalb ist er so schwer zu erkennen. Der dialektische Prozeß der Philosophie schreitet fort, indem Argumenten mit Argumenten begegnet wird. Jede Kritik prüft eine Weltanschauung von innen her, greift ihre *interne* Kohärenz und Konsistenz an, wird geführt von jemandem, der selbst außerhalb steht. Und jede Erwiderung beinhaltet ein wechselseitiges sich Verständigen und Abstimmen über mannigfaltige Meinungen, Voraussetzungen, Festlegungen und Überzeugungen, ist ein Versuch zur Feinabstimmung des größeren begrifflichen Fundaments, das die sichtbaren Thesen trägt.

Mittlerweile werden Sie zweifeln, ob Sie zur Praxis des Philosophierens jemals wirklich Zugang finden werden. Wie kann man es wagen, eine Argumentation zu beginnen, wenn das dann gleich komplizierte, systematische philosophische Weltanschauungen nachsichzieht? Es ist jetzt Zeit für eine gute Nachricht. Sie besitzen selbst, zumindest in Ansätzen, so eine komplizierte, systematische philosophische Weltanschauung, nämlich in dem, was man „Common sense", gesunden Menschenverstand nennt.

Da ist gleich eine Warnung angebracht. Gesunder Menschenverstand beinhaltet natürlich auch ein gut Teil allgemein verbreiteten Unverstandes, und der „Common sense" des einen ist oft der „Nonsense" des anderen. Trotzdem bleibt ein beträchtliches gemeinsames Territorium unter der Flagge des gesunden Menschenverstandes übrig, und gerade das habe ich im Auge. In dies gemeinsame Territorium gehören solche Überzeugungen wie: daß die Welt eine Vielfalt von Dingen enthält – Gegenstände, Pflanzen, Tiere, Menschen; daß die Dinge in der Welt verschiedene Eigenschaften haben – Formen, Größen, Farben zum Beispiel – und verschiedene Verhaltensweisen zeigen – manche wachsen und manche bewegen sich zum Beispiel; daß diese Dinge aufeinander wirken und sich gegenseitig beeinflussen; daß wir über viele von ihnen sowie über ihre Interaktionen informiert sind – wir sind manchen begegnet, haben sie gesehen, gehört oder geschmeckt und haben herausgefunden, daß es weitere geben muß, denen wir noch nicht begegnet sind; daß wir selbst in dieser Welt denken, sprechen und handeln und daß unsere Worte oft Folgen haben, die teilweise wünschenswert, teilweise auch nicht wünschenswert sind.

Alle diese und viele andere Überzeugungen machen das aus, was ich mit „Common sense" meine. Jeder geht von so einem Common sense aus, auch Sie. Doch die Grundregeln für das philosophische Unternehmen gelten nach wie vor. Widerspricht eine philosophische These solchem Common sense, dann haben wir gerade eine jener Meinungsverschiedenheiten, von denen der dialektische Prozeß, Argumenten mit Argumenten zu begegnen, ausgehen muß. Common sense ist nicht unantastbar. Er ist keine letzte Berufungsinstanz. Er ist ein philosophischer Standpunkt unter anderen möglichen Standpunkten. Tatsächlich ist *jede* von den oben genannten Common sense-Überzeugungen von Philosophen in der Vergangenheit bereits bestritten worden, und zwar aus triftigen Gründen.

Und Common sense hat seine Nachteile. Bezeichnenderweise hat man keine Erfahrung damit, seine Inhalte kritischer Prüfung zu unterziehen. Da die einzelnen, wenn auch mit einander in Verbindung stehenden Begriffe, Überzeugungen, Theorien und Prinzipien, die den Common sense ausmachen, von allen geteilte Arbeitshypothesen unseres täglichen Lebens sind, werden sie im täglichen Leben selbst selten in Frage gestellt. Ja, zum Teil werden Studenten über das philosophische Nachfragen gerade deshalb so wütend, weil der Philosoph nicht bereit ist, sich dem Common sense zu beugen und sich mit ihm zufriedenzugeben. Auch der Common sense muß auf den Prüfstand der Argumentation. Gerade weil er gewöhnlich nicht überprüft wird, weiß man bezeichnenderweise nicht, wie man die Struktur der Voraussetzungen und begrifflichen Verknüpfungen, die implizit im Common sense enthalten sind, ganz klar machen könnte. Ebensowenig ist man sicher, wie sehr man letzten Endes seiner internen Kohärenz trauen darf.

Doch als Ausgangspunkt hat Common sense auch seine Vorzüge. Zum einen, weil Sie darin zuhause sind. Sie können Common sense gewöhnlich erkennen, wenn Sie ihn hören. Zum anderen spricht etwas sehr Wichtiges für ihn – er funktioniert. Das Begriffssystem des Common sense ist im allgemeinen ein nützlicher und praktischer Bezugsrahmen für unser tägliches Leben und Handeln. Sicherlich läßt das mindestens die Vermutung aufkommen, daß *irgend etwas* daran richtig ist.

Common sense kann so als ein mehr oder weniger geordnetes Arsenal von Überzeugungen, Theorien und Prinzipien dienen, auf das man in kritischer oder konstruktiver Argumentation zurückgreifen kann. Und daß er dazu dient, ist der wahre Kern der Behauptung, daß „jedermann eine Philosophie hat". Jedoch folgt daraus nicht, daß jedermann ein Philosoph ist. Der entscheidende Schritt zu diesem Ziel ist getan, wenn man aufhört, Common sense für unzweifelhafte Wahrheit zu halten, und ihn der Prüfung unterzieht. Denken Sie an Aristoteles: „Philosophie beginnt mit dem Staunen." Bei den großen Philosophen der Vergangenheit finden wir, neben anderen Verdiensten, manche der stärksten, dramatischsten und klarsten Herausforderungen an unsere Common sense-Weltanschauung. Und das ist noch ein Grund, weshalb man ihre Argumente auch heute studiert und gewiß in aller Zukunft studieren wird.

4. „Das Schiff des Theseus"

Eine Fallstudie

Bisher verlief unsere Diskussion über Argumente und Dialektik auf einer ziemlich hohen und abstrakten Ebene. Um sie etwas greifbarer zu machen, brauchen wir ein gutes, zusammenhängendes Beispiel für philosophisches Denken in Aktion. Stellen wir uns also eine kleine Aufgabe:

Das Schiff des alten griechischen Seefahrers Theseus – nennen wir es „T" – ist aus 1000 alten, aber noch ganz seetauglichen Planken zusammengesetzt. Trotzdem bringt Theseus T in den Hafen, um es *vollständig* erneuern zu lassen. Der Schiffsbauer, der den Auftrag annimmt, hat zwei Trockendocks, A und B. Er legt Theseus' Schiff in eines davon, nämlich Dock A. Als guter Geschäftsmann erkennt er, daß die noch seetauglichen Planken von T gut zu gebrauchen sind und läßt darum seine Leute rund um die Uhr nach folgendem Plan arbeiten:

In der ersten Stunde entfernt die Arbeitskolonne eine alte Planke von T und ersetzt sie durch eine neue. Zudem tragen die Leute die alte Planke zu Dock B hinüber und stellen sie so, als fingen sie in diesem Dock an, ein Schiff zu *bauen*. In der zweiten Stunde wiederholt die Kolonne denselben Prozeß, indem sie eine zweite alte Planke von dem Schiff in Dock A durch eine neue ersetzt und die alte zu Dock B hinüberträgt, wo sie entsprechend an der zuvor versetzten Planke befestigt wird. In der dritten Stunde wiederholen sie den Prozeß von neuem und fahren auf dieselbe Weise ganze 1000 Stunden lang fort.

Nach 1000 Stunden ist die Lage dann folgende: In Dock

A liegt ein Schiff – nennen wir es „X" –, das aus 1000 neuen Planken besteht; in Dock B liegt ein Schiff – nennen wir es „Y" –, das aus den 1000 alten Planken von Theseus' Schiff T besteht. Diese sind in *genau* derselben Anordnung montiert, wie sie vorher bestand, als T ins Dock A gebracht wurde. Unsere Frage ist: Welches Schiff, X oder Y, wenn überhaupt eines von beiden, ist *Theseus'* Schiff T?

Um uns vorzustellen, was in dieser Geschichte passiert, mag es hilfreich sein, ein paar „Schnappschüsse" von den verschiedenen Stadien des Umbaus zu machen. Wir wollen die Situation auf der Werft zu Beginn, das heißt zur Stunde 0, folgendermaßen darstellen:

```
Schiff T
─────────

   0 0
  00000
   0 0
 0000000
  00000
─────────        ─────────
Dock A           Dock B
```

Die „0"s stehen für die *alten* Planken; für die *neuen* wollen wir „+" setzen. Ende der ersten Stunde sieht die Situation dann so aus:

```
   0 0
  00000
   0 0
 0000000
 +0000           0
─────────        ─────────
Dock A           Dock B
```

65

Machen wir einen Sprung vorwärts etwa auf die fünfhunderste Stunde, dann sieht es in der Werft ungefähr so aus:

+ O	O
+++OO	OOO
+ O	O
++++OOO	OOOO
++OOO	OO
Dock A	Dock B

Nach tausend Stunden würden wir schließlich beim Betreten der Werft die folgende Situation vorfinden:

Schiff X	Schiff Y
+ +	O O
+++++	OOOOO
+ +	O O
+++++++	OOOOOOO
+++++	OOOOO
Dock A	Dock B

So. Nun wollen wir wissen, welches Schiff, X oder Y (wenn überhaupt eines von beiden), *Theseus'* Schiff T ist. Ein Anfang könnte sein, sich einen Überblick über das Spektrum *möglicher* Antworten auf die Frage zu verschaffen und die Zahl der „tragfähigen Alternativen" auf einige wenige handliche zu beschränken.

Wenn Studenten zum ersten Mal anfangen, über das Problem nachzudenken, entdecken sie meistens, daß sie die eine oder andere der verschiedenen möglichen *Meinungen* vertreten. Manche von Ihnen mögen zum Beispiel der Meinung sein, Theseus' Schiff T sei das Schiff X; andere meinen, daß es Schiff Y sei. Wie wir sehen werden, läßt sich für jede dieser Antworten irgend etwas ins Feld führen. Manche Studenten dagegen sind durch ihre erste Konfrontation mit dem Problem einigermaßen verwirrt, so daß sie zu Ansichten neigen, die viel weniger plausibel sind. Zum Beispiel mag für einige von Ihnen das Problem, zwischen X und Y wählen zu sollen, so verwirrend sein, daß Sie versucht sind zu antworten, *weder X noch Y* sei Theseus' Schiff T. Und manche könnten gar so verzweifelt sein, daß sie als „Antwort" vorschlagen, *sowohl X als auch Y* seien Theseus' Schiff T. Leider schneidet keine dieser Alternativen vor dem Gericht des Common sense besonders gut ab.

Die zweite der absonderlichen „Antworten" kann man allerdings aus rein logischen Gründen verwerfen. X und Y sind *zwei* Schiffe; Theseus' Schiff T ist nur *ein* Schiff, und es ist für ein Ding einfach unmöglich, zwei Dinge zu sein. Natürlich können zwei Dinge in der Weise „identisch" sein, wie Zwillinge „identisch" sein können, nämlich „genau gleich" – aber unsere Schiffe X und Y sind nicht einmal in *dem* Sinne identisch. Schließlich ist X ganz aus neuen Planken zusammengesetzt und Y ganz aus alten. Man kann deshalb dem Vorschlag, daß sowohl X als auch Y „in Wirklichkeit" *ein und dasselbe* Schiff sind, nämlich Theseus' Schiff T *keinen* Sinn abgewinnen.

Dem Vorschlag, daß *weder X noch Y* Theseus' Schiff T sei, ergeht es nicht besser. Hier stehen wir allerdings nicht vor einer logischen Absurdität. Aber wenn wir uns entschließen, diesen Weg zu verfolgen, handeln wir uns ein neues, ziemlich böses Rätsel ein, nämlich: Was ist mit *Theseus'* Schiff geschehen? Es scheint einfach verschwunden zu sein. Wenn weder X noch Y Theseus' Schiff T ist, *was ist dann aus T geworden?* Natürlich könnte man jetzt eine ingeniös verwickelte Geschichte erzählen mit dem Schluß, wir hätten es mit *drei* Schiffen zu tun, X, Y und T, von denen das eine verschwunden ist, als die anderen beiden entstanden. Doch wenn wir dem Rat folgen, vom Common sense auszugehen, wird uns so eine Geschichte kaum besonders einleuchten.

Letzten Endes können wir, meine ich, die Zahl der „tragfähigen Alternativen" auf nur zwei beschränken: entweder ist Schiff X Theseus' Schiff T, oder es ist Schiff Y. Und wie sich

67

zeigt, hat jede dieser Antworten eine beträchtliche Common sense-Plausibilität auf ihrer Seite.

Wer zum Beispiel die erste Antwort bevorzugt, nämlich daß Schiff X Theseus' Schiff T sei, könnte folgendermaßen argumentieren:

> Sehen Sie, Theseus' Schiff wurde an Land gebracht, um vollständig erneuert zu werden, und es *wurde* vollständig erneuert. Zu Beginn der Prozedur wurde es in Dock A gelegt, und – wenn auch in dieser Zeit dort viel *mit ihm gemacht* wurde – es blieb dort während der ganzen 1000 Stunden. Durch Zufall ereigneten sich *auch* andere merkwürdige Dinge in Dock B wärend jener 1000 Stunden, doch das ist für *unsere* Frage ganz irrelevant. Wir müssen nur *Theseus'* Schiff in den 1000 Stunden im Auge behalten, und das ist nicht schwer. *Theseus'* Schiff war die ganze Zeit in Dock A und wurde vollständig erneuert. Demnach ist am Ende der Prozedur das Schiff in Dock A das Schiff von Theseus, das heißt, Schiff X ist Theseus' Schiff T.

Wer die zweite Antwort vorzieht, nämlich daß Schiff Y Theseus' Schiff T sei, wird jedoch ganz andere Überlegungen anstellen:

> Da werden Sie mir doch sicherlich zustimmen: hätte der Schiffsbauer ganz zu Anfang einfach Theseus' Schiff von Dock A in Dock B *verlegt* und wäre dann darangegangen, aus neuen Planken in Dock A ein Schiff zu bauen, das dem von Theseus *völlig gleicht*, so wäre nach 1000 Stunden Theseus' Schiff T dasjenige in Dock B. Nun, ist das nicht im großen und ganzen tatsächlich geschehen? Natürlich, der Schiffsbauer war anscheinend nicht gewitzt genug, T einfach als Ganzes hinüber zu schaffen, aber er versetzte es *Stück für Stück*. In Wirklichkeit hat die Arbeitskolonne Theseus' Schiff in Dock A langsam *zerlegt* und dann, ebenso langsam, auf Dock B *wieder zusammengebaut*. Daß gleich-

zeitig das teilweise zerlegte Schiff in Dock A als eine Art „Bauplan" für die Errichtung eines neuen Schiffes benutzt wurde, ist für *unsere* Frage schlicht irrelevant. Wir müssen nur bestimmen, wo Theseus' Schiff am *Ende* der Prozedur lag. Und da war es in Dock B. Wie es dahin *kam*, ob es auf einmal oder Stück für Stück umgesetzt wurde, spielt keine Rolle. Wichtig ist nur, daß es dorthin kam. Demnach ist das Schiff in Dock B, Schiff Y, Theseus' Schiff T.

An diesen beiden Antworten kann man nun mehrere interessante Feststellungen machen. Erstens: *Beide* entsprechen im großen und ganzen dem Common sense. Das ist sowohl eine Stärke als auch eine Schwäche. Die Stärke liegt darin, daß beide Antworten *plausibel* sind. Mit anderen Worten, weder die eine noch die andere Antwort ist „unüberlegt" oder „widerspricht unserer Intuition" oder ist „abwegig"; und offenbar zwingt uns keine der beiden Antworten, irgendwelche merkwürdigen „metaphysischen" Prinzipien hinsichtlich von Identität zu schlucken, deren Verteidigung man Philosophen oft vorwirft. Eine Schwäche liegt freilich darin, daß beide Antworten *gleichermaßen* plausibel sind. Während der Common sense sich mit der *einen* wie mit der *anderen* Antwort ganz wohlfühlen kann, wird er leicht nervös, wenn er merkt, daß es sich mit der einen nicht *besser* leben läßt als mit der anderen. (Übrigens ist das ein gutes Zeichen dafür, daß Sie es mit einem philosophischen Problem zu tun haben.) Und so ist als zweites festzustellen, daß uns diese zwei Antworten mehr oder weniger an die *Grenzen* dessen führen, was der Common sense hier für uns tun kann. Mit anderen Worten, es wird nun nötig, im einzelnen mit dem *philosophischen* Denken zu beginnen, das heißt zu versuchen, auf die *Argumente* einzugehen.

Zum dritten müssen wir beachten, daß diese beiden Antworten nicht mehr *bloß* Meinungen sind. Sie sind zu *begründeten* Meinungen geworden. Das heißt, jede Partei in unserer kleinen Kontroverse hat nicht nur ihre Meinung geäußert, *welches* die richtige Antwort auf die Frage sei, sondern auch Gründe dafür angegeben, *warum* wir die bevorzugte Antwort als die richtige annehmen sollten. Und so können wir etwas *tun*, statt nur in der Meinungsverschiedenheit Partei zu ergreifen: Wir können das Thema wechseln! Das heißt, wir können versuchen, die *Gründe* zu prüfen und zu beurteilen, die jeder Diskussionsteilnehmer vorgebracht hat, um seine Antwort auf die Frage zu stützen. Und wenn wir das tun – es ist wichtig, sich das klarzumachen – werden wir nicht mehr darüber sprechen, welches Schiff, ob X oder Y, Theseus' Schiff T ist. Wie wir gleich sehen werden, sprechen wir dann über etwas anderes. Unser Gesprächsthema bilden dann bestimmte Comon sense-Ansichten oder vielleicht besser „Prinzipien", und zwar nicht Ansichten darüber, welches Schiff T ist, sondern vielmehr die „Prinzipien", die jeder unserer Diskussionspartner bei seiner Schlußfolgerung, daß dieses oder jenes Schiff T sei, als mehr oder weniger *selbstverständlich angenommen* hat. Deshalb müssen wir als nächstes fragen: Was *nehmen* unsere beiden Diskussionspartner als selbstverständlich an? Welche Common sense-Vorstellungen *benutzt* jeder oder jede einzelne, ohne sie jedoch ausdrücklich zu *nennen?* Es ist Zeit, kurz die zwei Argumente „in Ordnung zu bringen" – ihre Voraussetzungen, ihre Prämissen und ihre Zwischenschritte zu identifizieren und sie in eine geordnete Form zu bringen. Sehen wir nun, wie das zu machen ist.

Wir erinnern uns: Das Argument zugunsten von Schiff X konzentrierte sich auf die Tatsache, daß *irgendein Schiff* während der ganzen Zeit von 1000 Stunden in Dock A lag. Mit anderen Worten, wann immer wir nachgesehen hätten, wir hätten *ein* (ganzes) Schiff dort vorgefunden. Anfangs war es natürlich Theseus' Schiff T, das in Dock A lag. Das Argument für Schiff X räumt nun ein, daß in den folgenden tausend Stunden sehr viel an dem Schiff *gemacht* wurde. Doch wird ganz selbstverständlich angenommen, daß nichts von alledem, was an dem Schiff gemacht wurde, ausreiche, seine *Identität* zu ändern! Wir sehen jetzt, daß das Argument zugunsten von Schiff X auf der wiederholten Anwendung etwa des folgenden Prinzips beruht: Ersetzt man einen Teil eines komplexen Gegenstandes, so beeinflußt das nicht die Identität dieses Gegenstandes. Dies Prinzip, Stunde für Stunde wiederholt angewandt, liegt der Überzeugung zugrunde, daß Theseus' Schiff T Stunde für Stunde in Dock A verbleibt. In übersichtliche Schritte zerlegt, sieht das Argument zugunsten von Schiff X (nennen wir es Argument X) dann so aus:

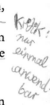

1. Das Schiff in Dock A zur Stunde 0 ist Theseus' Schiff T.
2. Ersetzt man eine Planke an einem Schiff aus 1000 Planken, so ändert das nichts an der Identität des Schiffes.
3. Das Schiff in A zur Stunde 1 unterscheidet sich von dem Schiff in A zur Stunde 0 nur dadurch, daß es an der Stelle einer alten Planke eine neue Planke hat.
4. Also ist das Schiff in A zur Stunde 1 Theseus' Schiff T.
5. Das Schiff in A zur Stunde 2 unterscheidet sich aber von dem Schiff in A zur Stunde 1 nur dadurch, daß es an der Stelle einer alten Planke eine neue Planke hat.
6. Also ist (nach 2. und 4.) das Schiff in A zur Stunde 2 Theseus' Schiff T.
7. Wir können aber dies Argument für die Stunden 3, 4, 5 und so fort wiederholen bis zur Stunde 1000.
8. Also ist das Schiff in A zur Stunde 1000 Theseus' Schiff T.
9. Das Schiff in A zur Stunde 1000 ist aber Schiff X.
10. Also ist Schiff X Theseus' Schiff T.

Das Argument zugunsten von Schiff Y konzentriert sich dagegen auf die Tatsache, daß jede Planke, die in Dock B zur Stunde 1000 vorhanden ist, sich zur Stunde 0 in Dock A befand und mehr noch, daß die Planken in B zur Stunde 1000 in genau derselben Anordnung befestigt sind wie zur Stunde 0 in Dock A, als sie unbezweifelbar Theseus' Schiff T bildeten. Dies Argument nimmt also offenbar ein Prinzip als erwiesen an, das wir so formulieren könnten: Ein Ganzes ist *nichts anderes* als die Summe seiner Teile. Mit anderen Worten, die Überzeugung, daß Schiff Y Theseus' Schiff T sei, ergibt sich offenbar aus der Beobachtung, daß jede Planke von Schiff Y zur Stunde 0 zu Schiff T gehörte und daß diese Planken zur Stunde 1000 wieder genau so

71

zusammengefügt sind wie vorher zur Stunde 0, was auch immer in der Zwischenzeit mit ihnen geschehen sein mag. In übersichtliche Form gebracht, besagt das Argument (nennen wir es Argument Y):

1. Ein Ganzes ist nichts weiter als die Summe seiner Teile in bestimmter Anordnung.
2. Die Teile von Theseus' Schiff T sind die 1000 Planken, aus denen es zusammengesetzt ist.
3. Die Teile von Schiff Y sind die 1000 Planken, aus denen *es* zusamengesetzt ist.
4. Doch jede Planke, die zu Schiff Y gehört, ist identisch mit einer Planke, die Teil von Theseus' Schiff T ist.
5. Mehr als das, die *Anordnung* der Planken, die Schiff Y bilden, ist (Planke für Planke) mit der Anordnung der Planken identisch, aus denen Schiff T besteht.
6. Also folgt nach 1., daß Schiff Y Theseus' Schiff T *ist*.

Wie unsere beiden informellen Argumente, führt jedes der geordneten anscheinend zu seiner gewünschten Konklusion. Aber im Unterschied zu unseren beiden informellen Argumenten, explizieren die Argumente X und Y bestimmte Prinzipien in Bezug auf Teile, Ganzes und Veränderung, die ihre Verteidiger offenbar als erwiesen annehmen, Prinzipien, die offenbar eine entscheidende, wenn auch stillschweigende Rolle in den zu verschiedenen Konklusionen führenden Argumentationen gespielt haben. Eines müssen wir uns an dieser Stelle unbedingt klarmachen: Wenn unsere Versuche, die Meinungsverschiedenheit darüber, ob Schiff X oder Y Theseus' Schiff T ist, zu lösen, überhaupt *eine* Erfolgschance haben sollen, dann ist es absolut nötig, daß wir nicht länger über die zwei *Schiffe*, sondern über die zwei *Argumente* sprechen.

Mit anderen Worten, es reicht nicht, wenn der Verfechter von Argument X (oder Argument Y) einfach sein Argument zugunsten der bevorzugten Konklusion dauernd *wiederholt*, es reicht auch nicht, wenn er ein *anderes* Argument vorbringt,

72

das zur selben Konklusion führt. Ein solches Vorgehen mag das *Vertrauen* des Verfechters oder der Verfechterin in die jeweils von ihm oder ihr bevorzugte Konklusion stärken, bringt uns aber einer Lösung der Meinungsverschiedenheit zwischen den beiden kein bißchen näher. Ebensowenig reicht es, wenn der Verfechter von Argument X (oder Argument Y) einfach insistiert, an dem Argument des Gegners müsse *etwas* falsch sein. Natürlich ist jeder, der sich darauf festgelegt hat, die Konklusion eines dieser Argumente anzunehmen, auch darauf festgelegt zu meinen, daß die Konklusion des anderen Arguments falsch ist – ja mehr noch, daß an dem anderen Argument *etwas* verkehrt sein muß, da ein gültiges Argument mit wahren Prämissen nicht zu einer falschen Konklusion führen kann. Aber nur zu behaupten, an dem anderen Argument müsse *etwas* verkehrt sein, bedeutet, weiter auf der Ebene bloßer Meinungsverschiedenheit zu verharren.

Der springende Punkt ist zu erkennen, daß Sie damit das Argument noch keineswegs *kritisiert* haben. Sie bekräftigen nur Ihre Überzeugung, daß das fragliche Argument kritisiert werden *kann*, das heißt, daß das Argument kritisier*bar* ist. Und wenn Sie glauben, daß die Konklusion eines Arguments falsch ist, werden Sie natürlich auch *glauben*, daß das Argument selbst, das zu dieser falschen Konklusion führt, kritisier*bar* sein muß. Ein ganz korrektes Argument kann unmöglich von wahren Prämissen zu einer falschen Konklusion führen.

Das Argument wirklich zu *kritisieren*, erfordert jedoch mehr als nur zu insistieren, daß daran *etwas* verkehrt sein muß. Zusätzlich bedarf es einer spezifischen Diagnose, *was* daran nicht in Ordnung ist. Und das heißt, daß Sie in das Argument *hinein* und nicht nur *auf* seine Konklusion sehen müssen. Sie müssen eine Prämisse oder einen Schritt in der Argumentation finden können, von dem sich sagen läßt: „*Hier* ist die Stelle, an der die Argumentation fehlläuft. *Das* ist die falsche Prämisse. (Oder: *Das* ist der ungültige Schritt.)" Und Sie müssen imstande sein, diese Behauptungen mit *neuen* Argumenten zu stützen, Argumenten, die sich nicht auf Schiff X und Schiff Y beziehen, sondern auf die Prämisse oder den Schritt, den Sie als den Stein des Anstoßes in der Argumentation Ihres Gegners identifiziert haben. Es müssen Argumente sein, die zeigen sollen, daß diese Prämisse falsch *ist* oder daß dieser Schritt ungültig *ist*. Das meint man mit: „Kritik muß auf die Argumente eingehen!"

Nun, wie könnte so eine echte Kritik im Falle unserer zwei Argumente aussehen? Auf den ersten Blick scheint es, als ob Argument X ziemlich schwer zu widerlegen sei. Das einzig neue Prinzip, das Argument X expliziert, ist offenbar unter Punkt 2 formuliert: das Ersetzen einer Planke an einem Schiff aus 1000 Planken ändere nichts an der *Identität* dieses Schiffes. Und oberflächlich betrachtet scheint diese Behauptung schwerlich angreifbar zu sein. *Würde* das Ersetzen einer Planke an einem Schiff aus 1000 Planken die Identität des Schiffes ändern, dann könnten wir nie ein Schiff *reparieren*, indem wir eine schadhafte Planke durch eine neue ersetzen. Anstelle des zur Reparatur gebrachten Schiffes hätten wir schließlich ein *anderes*, für das wir wahrscheinlich neue Papiere, Lizenzen und Bescheinigungen über Seetauglichkeit brauchten, da es nicht mehr unser ursprüngliches Schiff wäre. Mit anderen Worten, die Behauptung in Punkt 2 verneinen, hieße die Common sense-Unterscheidung zwischen ‚etwas *an* einem Schiff verändern' (wobei das Schiff nach der Änderung weiterhin vorhanden ist) und ‚ein neues Schiff bauen' aufzugeben. Und das scheint ein etwas zu hoher Preis zu sein.

Doch gibt es etwas anderes, woran der Gegner von Argument X kritisch anknüpfen könnte? Interessant genug, das gibt es. Und zwar liegt es in der *Wiederholung* des Prinzips unter Punkt 2, das heißt, es liegt in dem in Punkt 7 erwähnten Verfahren, wonach dies Prinzip Planke für Planke immer wieder angewandt wird. Mit anderen Worten, jemand, der Argument X kritisieren möchte, könnte so argumentieren: zwar sei es eine gültige Argumentform, ein solches Prinzip *einmal* anzuwenden, es *wiederholt* anzuwenden jedoch nicht. Es kann von wahren Prämissen zu falschen Konklusionen führen. Eine Möglichkeit zu zeigen, daß so eine Argumentform *ungültig* ist, besteht, wie wir gesehen haben, darin, ein *Modell*, das heißt ein Argument

74

derselben Form zu konstruieren, das *wirklich* von wahren Prämissen zu einer falschen Konklusion führt. Mit ein bißchen Phantasie könnte ein Kritiker von Argument X dann gut so etwas anführen: Angenommen Homer ist ein Wuschelkopf mit, sagen wir, 10 000 Haaren; jede Minute zupfen wir genau ein Haar von Homers Kopf. Nun überlegen Sie sich das folgende Argument: *Modell für X;*

1. Zur Minute 0 ist Homer ein Wuschelkopf, kein Glatzkopf.
2. Vom Haupte eines Wuschelkopfs ein einzelnes Haar zu zupfen, verwandelt den Wuschelkopf nicht in einen Glatzkopf.
3. Also ist Homer nach der ersten Minute immer noch ein Wuschelkopf und kein Glatzkopf.
4. In der zweiten Minute tun wir jedoch nichts anderes, als *Frosch* noch ein Haar von Homers Kopf zu zupfen.
5. Daher ist Homer, gemäß Punkt 2 und 4, immer noch ein Wuschelkopf und kein Glatzkopf.
6. Wir können aber dies Argument für die 3., 4., 5. Minute wiederholen und so fort, bis zur 10 000. Minute.
7. Also ist Homer nach 10 000 Minuten immer noch ein Wuschelkopf und kein Glatzkopf.

Doch nach unserer Annahme, daß Homer ursprünglich genau 10 000 Haare auf dem Kopf hatte, ist die Konklusion *dieses* Arguments offenkundig falsch. Um unser Modell zu bilden, können wir natürlich *festlegen*, daß die Prämissen über Homer wahr sind. Wenn wir zudem überzeugt sind, daß das in Punkt 2 formulierte generelle Prinzip selbst wahr ist (und so sieht es sicherlich aus), dann können wir schließen, daß wir gefunden haben, was wir suchten: ein Argument derselben Form wie Argument X, das mit wahren Prämissen beginnt, aber zu einer falschen Konklusion führt. Und (wenn wir bei der Konstruktion dieses Arguments *gegen* Argument X wirklich alles richtig gemacht haben!) dann wird uns das auch erlauben zu sagen, *was* an Argument X nicht in Ordnung ist: Es ist ungültig. Das heißt, mit seiner *Form* ist etwas nicht in Ordnung.

X ungültig!

Und wie steht es mit Argument Y? Nun, auch hier zeigt sich Spielraum für kritisches Engagement. Das zunächst nur implizierte, aber in Argument Y ausdrücklich formulierte Prinzip besagt, wie wir uns erinnern: „Ein Ganzes ist nichts weiter als die Summe seiner Teile in bestimmter Anordnung." Nun wird ein Kritiker (oder eine Kritikerin) dieses Arguments wahrscheinlich ebenfalls nicht daran interessiert sein zu behaupten, dies Common sense-Prinzip selbst sei falsch. Aber sie könnte sehr wohl insistieren, daß das Prinzip, so wie es behauptet wird, unvollständig sei. Schließlich könnten ja Teile eines komplexen Dinges ausgetauscht werden. Tatsächlich haben viele komplexe Gegenstände, Autos, Schreibmaschinen und ähnliches, austauschbare Teile. Das beweist nicht, daß so ein komplexes Ding auf irgendwelche mysteriöse Weise „mehr" ist als die Summe seiner Teile, es beweist jedoch, daß wir das generelle Prinzip zeitlich fixieren müssen. Mit anderen Worten, das Prinzip *müßte* lauten: „*Zu jeder gegebenen Zeit* ist ein Ganzes nichts anderes als die Summe seiner *jeweiligen* Teile in einer bestimmten Anordnung."

Jetzt aber, fährt unsere Kritikerin fort, können wir erkennen, was an Argument Y nicht in Ordnung ist. Es hat eine falsche Prämisse. Allerdings ist nicht die erste Prämisse falsch. Sie ist nur ungenau. Die Schwierigkeit liegt in Punkt 4! Denn es ist einfach nicht der Fall, daß jede Planke von Schiff Y zugleich ein Teil von Theseus' Schiff T *ist.* Wahr ist vielmehr, daß jede Planke von Schiff Y ein Teil von Theseus' Schiff T *war.*

Mit anderen Worten, ein Teil von Theseus' Schiff zu sein, ist keine spezifische Eigenschaft einer Planke, so wie Form, Größe und Gewicht zu ihren spezifischen Eigenschaften gehören, sondern es ist einfach eine *Episode* im Werdegang der Planke. Eine Planke ist nur zu bestimmten *Zeiten* ein Teil von Theseus' Schiff. Insbesondere wenn sie einmal vom Schiff entfernt und durch eine andere Planke ersetzt wird, hört sie auf, ein Teil von Theseus' Schiff zu sein. Es ist also einfach nicht wahr, daß alle Teile von Schiff Y zur Stunde 1000, Teile von Schiff T *sind.* Natürlich *waren* sie Teile von Schiff T, aber tatsächlich *ist* zur Stunde 1000 *kein* Teil von Schiff Y (dort und dann) ein Teil von Schiff T. Obgleich also Theseus' Schiff zur Stunde 1000 nichts anderes ist als die Summe seiner Teile in einer bestimmten Anordnung, können wir nicht schlußfolgern, daß Schiff Y Theseus' Schiff ist, denn alle Planken, die zur Stunde 1000 Schiff Y ausmachen, sind nur *ehemalige* Teile von Schiff T, und wir haben *kein* Prinzip, das uns erlaubt zu behaupten, ein komplexer Gegenstand sei nichts anderes als die Summe seiner *ehemaligen* Teile, wie auch immer sie angeordnet sein mögen. Mag sein, daß Argument Y gültig ist, kann unsere Kritikerin schließen, trotzdem sind wir nicht verpflichtet, seine Konklusion zu akzeptieren. Denn etwas an ihm ist immer noch nicht in Ordnung; und jetzt können wir sagen, *was* an ihm nicht in Ordnung ist: Es hat eine falsche Prämisse. Das heißt, sein *Inhalt* ist nicht in Ordnung. *nicht schlüssig!*

Und so geht es weiter: Argument und Gegenargument. Wir haben mit zwei informellen Argumenten über Schiffe angefangen. Jetzt haben wir zwei neue Argumente – über Argumente! Die Ausgangsfrage ist noch nicht geklärt, aber sehen Sie jetzt, wie sich der Fokus verlagert hat. Um ihren ursprünglichen Standpunkt beibehalten zu können, muß die Verteidigerin von Argument X jetzt in dem neuen Argument ihres Kritikers einen Fehler entdecken. Dazu muß sie nach *Disanalogien* suchen zwischen ihrem Prinzip hinsichtlich von Identität trotz Veränderung sowie seiner wiederholten Anwendung in Argument X und dem Prinzip ihres Kritikers hinsichtlich von Wuschelköpfigkeit trotz Veränderung sowie dessen wiederholter Anwendung in dem Modellargument. Und analog wird der Verteidiger von Argument Y nach Einwänden gegen die zeitlichen Einschränkungen suchen müssen, die nach Meinung seiner Gegnerin der Beziehung zwischen Teil und Ganzem auferlegt werden müssen.

So kann uns ein kleines Rätsel über Schiffe dazu bringen, die große Frage nach Identität und Veränderung neu zu überdenken und schließlich unsere Begriffe von Kontinuität und Wandel wie von Teil und Ganzem zu klären. Das ist *Dialektik in Aktion.* Und wenn sie auch ihre Gefahren hat, so hat sie auch ihre Freuden, wie man nun sieht, nicht zuletzt deshalb, weil sie am Ende über bloße Meinungsverschiedenheiten hinausführen kann.

Erste Zwischenbilanz

Es ist jetzt Zeit, einmal innezuhalten und tief Luft zu holen. In den ersten vier Kapiteln habe ich eine bestimmte Konzeption philosophischer Tätigkeit, deren Ziele, deren Methoden und die Art, wie sie vorgeht, skizziert. Ich habe das Bild von Philosophie als einer Disziplin „zweiter Ordnung" gezeichnet, einer Disziplin, die nicht darauf aus ist, unser Wissen über die Welt, in der wir leben, zu erweitern, sondern die unsere rationale Beschäftigung mit dieser Welt kritisch prüfen, unsere rationalen Verfahrensweisen in den Naturwissenschaften, den Sozialwissenschaften, den Künsten, den Geisteswissenschaften und natürlich auch im täglichen Leben rational untersuchen will. Nach dieser Skizze liegt das Ziel von Philosophie hauptsächlich darin, einen zusammenfassenden und geordneten *Überblick* über unsere Stellung in der Welt zu erreichen, ein kohärentes und umfassendes Verständnis unserer Fähigkeiten und Grenzen, wenn es darum geht, diese Welt rational zu erkennen und rational in ihr zu handeln.

Doch wie wir gesehen haben, gelingt es in der philosophischen *Detail*untersuchung oft nicht, solche systematischen und globalen Ziele aufzudecken. Im Gegenteil, die philosophische Einzeluntersuchung erscheint oft trivial, ergebnislos, ohne Sinn und Ziel – eine Aneinanderreihung fruchtloser und irrelevanter logischer Wortspielereien. Aber ich habe auch gezeigt, daß dieser Anschein in Wirklichkeit *Folge* des „sekundären" Charakters philosophischer Forschung ist und insbesondere Folge der *Methode*, die von einer Disziplin wie Philosophie ihrer spezifischen Natur nach unumgänglich erfordert wird.

Diese Methode habe ich „dialektisch" genannt. Ihre Mittel sind *Argumente* und ihr Verfahren besteht im wesentlichen darin, *mit* Argumenten kritisch *auf* Argumente einzugehen. Wir haben einige Zeit darauf verwandt, diese rationalen Mittel und ihre Anwendung zu beschreiben. Wir haben gesehen, daß ein kritischer Einwand entweder auf die Form eines Gedankengangs oder auf seinen Inhalt, entweder auf die Frage nach Gültigkeit oder auf die Wahrheit der Prämissen bezogen sein kann. Wir haben eine Reihe gängiger Argumentformen vorgeführt, sowohl gültige als auch ungültige, und wir haben eine Technik skizziert, wie man Modelle bildet, mit deren Hilfe Gültigkeit überprüft werden kann. Und wir haben den Prozeß *interner* Kritik von Prämissen beschrieben, wie ihn der dialektische und systematische Charakter philosophischer Ansichten, Thesen oder Positionen erforderlich macht – ein Prozeß, der letztlich die *Kohärenz* eines ganzen in sich verwobenen *Systems* von Überzeugungen angreift, in das jede spezifische philosophische Behauptung notwendig und unumgänglich eingebettet ist.

Immer wieder habe ich betont, daß philosophische Kritik unbedingt auf die Argumente eingehen muß, das heißt, daß sie sich nicht einfach gegen die fragwürdigen *Konklusionen* wenden darf, zu denen ein Philosoph gelangt, sondern sich vielmehr gegen das *innere Zusammenspiel* der einzelnen Überlegungen richten muß, vermittels derer er oder sie zu diesen Konklusionen kommt. Denn nur eine solche Methode, so habe ich gezeigt, bietet zum mindesten die Hoffnung auf eine *Lösung* philosophischer Meinungsverschiedenheiten. Gleichgültig, ob die kritische Strategie nun in einer internen Kritik von Prämissen oder in der Technik des Modellebildens besteht, entscheidend ist, daß der philosophische Kontrahent beständig aufgefordert ist, selbst ein Argument *vorzubringen*. In der kleinen Studie über das Rätsel „Das Schiff des Theseus" haben wir gesehen, wie so etwas vor sich geht. Die eine philosophische Ansicht wird also unumgänglich vom Standpunkt einer *anderen* philosophischen Ansicht aus bestritten. Und zuletzt haben wir festgestellt, daß die lose Verbindung von Begriffen, Meinungen, Theorien und Prinzipien, die ich „Common sense" nannte, selbst stillschweigend solch eine systematische philosophische Einstellung bildet, von der man ausgehen kann, wobei auch der „Common sense", wie jede andere Einstellung, der Prüfung, Verdeutlichung und kritischen philosophischen Herausforderung ausgesetzt ist.

Das also sind die Ziele, Methoden und einige der Schwierigkeiten philosophischer Arbeit. Es zeigt sich, daß Philosophie nicht ein bloß zufälliges Aufeinandertreffen subjektiver Meinungen ist, sondern eine kohärente geistige *Disziplin* mit ihren eigenen Zwecken, Mitteln und Strategien. Jetzt, da wir ein gewisses Vorverständnis dieser Zwecke, Mittel und Strategien haben, können wir zur Betrachtung der größeren Zusammenhänge übergehen, in denen diese Zwecke verfolgt, diese Mittel eingesetzt und diese Strategien angewandt werden. Wir betrachten jetzt die philosophische Untersuchung in den Formen, denen Sie wirklich begegnen werden und in denen Sie selbst sich versuchen sollen. Also können wir uns nun dem Gegenstand zuwenden, der in vieler Hinsicht Kernstück und Motiv für dies Buch ist – dem philosophischen *Essay*.

5. Philosophische Essays

Wie man eine Ansicht kritisch prüft

Das wichtigste Medium zur Entfaltung einer philosophischen Dialektik ist der philosophische Essay. Damit ist eine bestimmte Form gemeint, die ihrem Umfang nach von kurzen Diskussionsbeiträgen in Fachzeitschriften bis zu Buchformat reichen kann. Als Philosophiestudent werden (oder sollten) Sie aufgefordert werden, sich im Verfassen philosophischer Essays zu üben. In jedem Falle werden Sie einige solcher Essays lesen, und deshalb ist eine ausführliche Behandlung dieser Form angebracht.

Ein philosophischer Essay ist weder eine Forschungsarbeit im Sinne einer wissenschaftlichen Sammlung und Anordnung verschiedener Quellen (obgleich natürlich den Maßgaben und Formen wissenschaftlicher Quellenbenutzung Rechnung getragen werden muß, wo immer es wichtig oder notwendig ist), noch ist er so etwas wie ein literarisches Selbstbekenntnis. Er befaßt sich nicht mit Gefühlen oder Eindrücken. Er ist kein Bericht und keine Zusammenfassung von Ergebnissen. Im wesentlichen ist er die *begründete Verteidigung einer These.* Im Essay muß es einen oder mehrere Punkte geben, die zu beweisen sind, und es sollten Überlegungen vorgebracht werden, die sie stützen – und zwar so, daß auch erkennbar ist, daß die Überlegungen sie stützen.

Da Klarheit und Genauigkeit im Ausdruck, Ordnung der Gedanken sowie logische Schärfe und Konsistenz in der Behandlung dieser Gedanken Grunderfordernisse philosophischen Denkens sind, sind die Fähigkeit, sich schriftlich auszudrücken, sowie ein guter literarischer Stil notwendige Vorbedingungen für Erfolg im Schreiben philosophischer Essays (man könnte hinzufügen, eigentlich in *jedem* Schreiben). Ein philosophischer Essay sollte zum mindesten in kohärenter und verständlicher Alltagssprache abgefaßt sein, entsprechend den anerkannten grammatischen und kompositorischen Regeln und Gepflogenheiten. Enthusiasmus kann Verständlichkeit nicht ersetzen, ebensowenig wie ein oberflächliches Umgehen mit technischem Vokabular wirklich ein gründliches Verständnis der Gedanken und Prinzipien ersetzen kann, zu deren Bezeichnung sich dies Vokabular entwickelt hat. Vor allem sollten Sie schwerfällige, „akademische" Ausdrucksweisen vermeiden. Die Philosophie hat einen schlechten Ruf in dieser Hinsicht. Es ist weit verbreitet, Philosophie für eine „tiefsinnige" Sache zu halten. Tief mag sie ja sein, doch sollte die tiefe Klarheit eines Hochgebirgssees ihr Vorbild sein, und nicht die tiefe Undurchdringlichkeit eines trüben Sumpfes.

Es gibt viele verschiedene Arten philosophischer Essays. Jede hat ihre eigene charakteristische Struktur. Vielleicht die fundamentalste von ihnen ist die kritische Prüfung einer Ansicht. Sie zu beherrschen eröffnet den Zugang zu allen anderen Arten philosophischer Essays.

Die kritische Prüfung einer Ansicht setzt natürlich voraus, daß da eine Ansicht ist, die es kritisch zu prüfen gilt. Das heißt, zunächst sind Sie mit etwas konfrontiert, das im Grunde *selbst* die Form eines philosophischen Essays hat: ein Stück Text, in dem eine Behauptung oder These aufgestellt wird sowie Überlegungen vorgebracht werden, die eine Annahme oder Übernahme der Behauptung befürworten. Dementsprechend kann man in der kritischen Prüfung einer Ansicht grob zwei Teile unterscheiden: Darstellung und Kritik. Die Darstellung besteht darin, die fragliche Ansicht, Position, Behauptung oder These zusammen mit der Struktur der Argumentation, die zu ihrer Stützung angeboten wird, zur Untersuchung und Diskussion zu stellen. Die Kritik übernimmt die Beurteilung und Bewertung jener Ansicht, indem sie die Struktur und den Inhalt der sie stützenden Argumentation untersucht.

Ansichten sind gewöhnlich Ansichten von jemandem. Die Aufgabe des Darstellens ist demnach primär Exegese. Eine Position zusammen mit der sie stützenden Argumentation zu entfalten, heißt gewöhnlich, ein philosophisches Werk lesen, verstehen und seinen Inhalt klar wiedergeben. Dies Unterfangen hat seine eigenen Strategien und Tücken. Auf einige von ihnen werde ich später zu sprechen kommen.

Wie ich mehrfach betont habe, ist das wichtigste Charakteristikum philosophischer Kritik, daß sie nicht bei Meinungsverschiedenheiten stehenbleibt. Da beginnt sie gerade. Philosophische Kritik ist *begründete* Meinungsverschiedenheit. Da die zur Beurteilung anstehende Ansicht selbst durch begründete Überlegungen gestützt wird, ist für eine negative philosophische Bewertung einer These erforderlich, daß nicht nur auf die Position selbst, sondern auf die Argumente, die jene Position stützen, kritisch eingegangen wird. Wie Sie sich erinnern werden, genügt es keineswegs, darauf zu verweisen, daß eine philosophische Konklusion falsch oder paradox aussieht oder sogar ist. Wenn Sie die Konklusion ernsthaft in Frage stellen wollen, müssen Sie die Unzulänglichkeit der zu ihrer Stützung vorgebrachten Argumentation nachweisen.

Wie wir gesehen haben, sind zwei Stoßrichtungen der Kritik möglich. Sie können sich der Form des Arguments zuwenden – seiner Gültigkeit oder Ungültigkeit – oder seinem Inhalt. Was sich außerhalb eines Kurses zur formalen Logik Brauchbares über den ersten Kritiktypus sagen läßt, habe ich bereits weitgehend gesagt. Für diese Art von Kritik ist eindeutig die Darstellung des zu kritisierenden Arguments das Entscheidende. Das Argument muß unvoreingenommen, präzise und auch detailliert genug dargestellt werden, damit sich ein „logisches Skelett" extrahieren läßt, das dem tatsächlich verwendeten Argumentationsmuster auch wirklich entspricht. Ohne ausreichende Kenntnis und Übung wird man kaum angeben können, um was für ein Argument es sich handelt und wieviele Details man braucht, um seine logische Struktur aufzudecken. Doch selbst wenn Sie diese recht mühsame Aufgabe erfolgreich bewältigt haben, ist es immer noch nicht leicht, seine Ungültigkeit zu beweisen, denn Sie müssen genügend Einsicht haben, um zu erkennen, wofür es ein Argument ist, und Sie müssen genügend Einfallsreichtum besitzen, um ein passendes Modell zu finden, welches dieses Argumentationsmuster mit unbestreitbar wahren Prämissen und einer unbestreitbar falschen Konklusion verbindet. Und beide, Einsichtsfähigkeit und Einfallsreichtum, liegen, wie bereits gesagt, leider außerhalb der Grenzen des Lehrbaren.

Doch gewöhnlich werden Sie mit Argumentationsmustern zu tun haben, die formal in Ordnung sind. In dem Fall wird sich Ihre Kritik gegen den spezifischen Inhalt des Arguments richten müssen. Sie wissen ja, das geschieht, indem Sie eine *interne* Kritik aufbauen. Sie versuchen nachzuweisen, daß sich all die verschiedenen, in dem Argument verwendeten Prämissen und Voraussetzungen nicht konsistent verbinden lassen. Sie bemühen sich zu zeigen, daß jeder, der all diese Prämissen und Voraussetzungen zugleich akzeptiert, in Schwierigkeiten gerät – somit insbesondere auch der Philosoph, der das Argument zuerst vorgebracht hat.

Was sind das für Schwierigkeiten? Ich habe vom Aufdecken einer Inkonsistenz oder Inkohärenz in der Position eines Philosophen gesprochen. Darüber sollten wir jetzt im einzelnen reden. Welche Arten von Inkonsistenz oder Inkohärenz gibt es? Und wie sehen sie aus, wenn man sie entdeckt?

In gewissem Sinne gibt es nur eine *Grund*form von Inkonsistenz oder Inkohärenz – den Selbst-Widerspruch. Im einfachsten Fall widerspricht sich jemand selbst, wenn er zwei Dinge behauptet, die nicht beide zugleich wahr sein können. An einer Stelle der Diskussion sagt er *X*; an einer anderen sagt er nicht-*X*. In einem weniger einfachen Fall dagegen könnte er sowohl *X* als auch nicht-*X* zugleich sagen. Das klingt rätselhaft; aber wir hatten eigentlich schon ein Beispiel für diesen Fall. Jemand, der behauptet, alle Gemälde seien Fälschungen, würde sich auf diese Weise widersprechen, denn er würde im Grunde sowohl sagen, daß einige Gemälde Originale sind (von denen die Fälschungen kopiert werden), als auch daß kein Gemälde ein Original ist, also sowohl *X* als auch nicht-*X*.

84

Grob gesagt: eine Behauptung ist dann in sich widersprüchlich, wenn sie falsch ist, und wenn man ihre Falschheit bestimmen kann, indem man *ausschließlich* Fakten benutzt, die zu den Bedeutungen jener Worte gehören, die zur Formulierung der Behauptung verwendet wurden.[1] „Manche Eltern haben keine Kinder", „Tom ist größer als Sam, der größer als Tom ist", „Mary hat eine Triangel mit vier Seiten", „John ist der Onkel seines eigenen Vaters" und „Gestern traf ich einen verheirateten Junggesellen", das sind Beispiele für Behauptungen, die offenbar in diesem Sinne in sich widersprüchlich sind.

Philosophen sind natürlich selten so entgegenkommend, Ihnen einen derart simplen Selbst-Widerspruch zu liefern. Öfter wird die Inkonsistenz, sofern es eine gibt, nur *implizit* vorhanden sein. Der Philosoph wird nicht sowohl X als auch nicht-X sagen. Stattdessen wird er X und dann noch eine Menge anderer Dinge – U, V, W, Y, Z – sagen, die alle zusammen nicht-X *implizieren*. Das ist in Wirklichkeit der typische Fall. Ihn habe ich oben skizziert, als ich den Begriff der internen Kritik einführte. Demnach ist es Ihre Aufgabe als Kritiker, den Widerspruch *explizit* zu machen. Wie wir gesehen haben, konstruieren Sie dazu selbst ein Argument, dessen Prämissen in Behauptungen bestehen, die der Philosoph akzeptiert – U, V, W, Y, Z – und dessen Konklusion von ihm abgelehnt werden muß – nicht-X. Also besteht ein wesentlicher Teil Ihrer kritischen Aufgabe darin, die Impli-

[1] Meine manchmal vorsichtigen Wendungen wie „im Grunde" und „grob gesagt" verweisen auf ein philosophisches Problem. Einige Philosophen haben die Ansicht bestritten, es *gäbe* eine wohldefinierte Gruppe von in sich widersprüchlichen Behauptungen. Die Sache ist kompliziert; ihr Kernpunkt aber ist, daß der Begriff des Selbst-Widerspruchs auf einer inkohärenten und inakzeptablen Vorstellung von Bedeutung beruht. Die Frage hat sich zu einer richtigen philosophischen Dialektik ausgewachsen, die schließlich nicht nur Auffassungen über Bedeutung, sondern auch über Wahrheit, Referenz, Wissen, Notwendigkeit, Sprachwissenschaft und Naturwissenschaft umfaßt. Wenn Sie dies Problem weiter verfolgen möchten, finden Sie einen guten Einstieg in Jay F. Rosenberg u. Charles Travis, (Hrsg.), *Readings in the Philosophy of Language*, Englewood Cliffs, N. J.: Prentice-Hall 1971, unter der Überschrift „Analyticity". Wie es sich für einen einführenden Text gehört, werde ich hier, abgesehen von dieser Anmerkung, die Sache weiterhin intuitiv und unbestimmt behandeln.

kationen dessen, was in dem zu kritisierenden Werk explizit gesagt ist, herauszufinden und darzustellen. Und das ist ein weiterer Grund, weshalb einer wirksamen Kritik notwendig eine unvoreingenommene und präzise Darstellung vorausgehen muß. Sie können nicht bestimmen, was die Ansichten eines Menschen implizieren, bevor Sie nicht klargestellt haben, um welche Ansichten es sich denn tatsächlich handelt.

Aber wir haben die Vielfalt subtiler Möglichkeiten, wie begriffliche Inkohärenz sich manifestieren kann, immer noch nicht ganz ausgelotet. Bisher habe ich nur über die Widersprüche gesprochen zwischen dem, was gesagt oder impliziert ist, und dem, was damit auch noch übermittelt wird. In einem komplizierten philosophischen Gedankengang kann die Inkonsistenz, wenn es eine gibt, jedoch auch weniger nah an der Oberfläche liegen. Was ein Philosoph sagt, wird sehr oft weder einer seiner anderen Äußerungen noch etwa darin enthaltenen Implikationen widersprechen. Trotzdem kann es zu etwas in Widerspruch stehen, an das er *gebunden* ist – nicht weil er es gesagt oder impliziert hätte, sondern weil er es als erwiesen annimmt oder es voraussetzt.

Natürlich nimmt jeder von uns ständig vielerlei als erwiesen an. Philosophen machen da keine Ausnahme. Manche dieser Voraussetzungen kann man als *implizite Prämissen* bezeichnen: Behauptungen, die man für so offensichtlich wahr hält, daß sie praktisch nie ausgesprochen werden. Sie „verstehen sich von selbst". Solch implizite Prämissen aufzudecken ist oft eine knifflige Aufgabe, ungefähr so, wie die zugrundeliegenden Motive für eine Handlung zu diagnostizieren; hat man sie aber erst einmal ans Licht gebracht, dann geht es mit ihnen wie mit den expliziten Prämissen. Man arbeitet ihre Implikationen in Verbindung mit den anderen Äußerungen des Philosophen heraus und versucht, die Inkohärenz, sofern es eine gibt, in der Form eines expliziten Selbst-Widerspruchs aufzuzeigen.

Abgesehen von den impliziten Prämissen, die unter Umständen hinter einem bestimmten Argument lauern mögen, gibt es aber auch noch andere Dinge, die im Verlauf einer *jeden* Argumentation notwendig vorausgesetzt oder als erwiesen angenommen werden. Man kann sie als die allgemeinsten Grundregeln allen Überlegens ansehen. Ich werde sie „Regeln vernünftigen Denkens" nennen. Regeln vernünftigen Denkens sind die fundamentalen Prinzipien, denen man treu bleiben muß, will man überhaupt ein Argument – schlecht oder gut, gültig oder ungültig – zustandebringen. Eine spezifisch philosophische und für den Anfänger besonders verwirrende Art der Kritik besteht in dem Versuch, jemanden, der ein Argument vorbringt, der Verletzung einer *dieser* Regeln zu überführen. Wer gegen eine der Regeln verstoßen *hat*, der hat zwar etwas Inkohärentes produziert, doch in besonderer Weise. Genaugenommen, hat er nicht *sich selbst* widersprochen, sondern er hat der Annahme widersprochen, daß das, was er vorbringt, ein geeignetes Argument ist, um seine oder überhaupt irgendeine Konklusion zu beweisen. Er hat sich gewissermaßen für das Spiel disqualifiziert. Selbstverständlich brauchen wir Beispiele für solche Verstöße; lassen Sie mich deshalb jetzt ein paar, genau gesagt, fünf, im einzelnen betrachten.

6. Fünf Arten, einen Philosophen zu kritisieren

veränderte Bedeutung eines Worts innerhalb eines Argumen

1. Äquivokation

William James hat einmal von einem kleinen Disput zwischen seinen Freunden berichtet. Es ging um ein Eichhörnchen, das sich an einen Baumstamm klammerte. Als einer der Freunde um den Stamm herum ging, schien es, als ob das schlaue Eichhörnchen sich seitlich so um den Stamm bewegte, daß es diesen ständig zwischen sich und dem Gehenden hielt. Man war sich darüber einig, daß der Freund um den Baum herum ging, aber man schien sich nicht darüber einigen zu können, ob er auch um das Eichhörnchen herum gegangen sei. James behandelte die Frage so:

> Ich sagte, „Welche Partei hier recht hat, hängt davon ab, was ihr *praktisch* mit ‚um das Eichhörnchen herum gehen‘ meint. Wenn ihr damit meint, nacheinander erst nördlich, dann östlich, dann südlich, dann westlich und dann wieder nördlich von ihm sein, so geht die Person offensichtlich um es herum, denn sie nimmt diese Positionen nacheinander ein. Wenn ihr aber damit meint, erst vor ihm sein, dann rechts, dann hinter ihm, dann links von ihm und schließlich wieder vor ihm, so ist ganz offensichtlich, daß die Person nicht um das Eichhörnchen herum geht, denn indem es sich entsprechend bewegt, bleibt es mit seinem Bauch die ganze Zeit in Richtung der Person und mit seinem Rücken von ihr abgewandt. Macht diesen Unterschied, und es gibt keinen Grund, weiter zu streiten.“[1]

Die Moral von dieser Geschichte ist: Ob eine bestimmte Behauptung wahr oder falsch ist, hängt unter anderem davon ab, wie

[1] William James, *Essays in Pragmatism*, New York: Hafner 1948, S. 141.

die zu ihrer Formulierung verwendeten Worte zu interpretieren sind. Oft gibt es, wie in diesem Fall, mehrere verschiedene *Lesarten* für einen bestimmten Schlüsselbegriff oder eine entscheidende Wendung, und derselbe Satz kann, je nach Lesart, einmal etwas Wahres, einmal etwas Falsches aussagen.

Nun kommt es häufig vor, daß solche Begriffe oder Wendungen im Laufe einer Argumentation mehrmals auftauchen. Es kann sein, daß sie in verschiedenen Prämissen und vielleicht auch in der Konklusion vorkommen. Ob das Argument gut ist, wird dann natürlich unter anderem davon abhängen, wie Sie diese Worte oder Wendungen interpretieren. Nach der einen Lesart können die Prämissen wahr sein, nach der anderen falsch. Wer das Argument vorbringt, möchte sicherlich, daß alle Prämissen wahr sind. Doch manchmal gelingt das nur, indem man den Schlüsselbegriff oder die Schlüsselwendung in der einen Prämisse auf die eine Art, in der anderen Prämisse auf eine *andere* Art liest. Damit verstößt man gegen eine der (von mir so genannten) „Regeln vernünftigen Denkens". Man macht sich einer *Äquivokation* schuldig. Ein Wort muß innerhalb eines Arguments, wann immer es auftritt, dasselbe bedeuten. Das ist die Grundregel, um die es hier geht. Sie zu verletzen, heißt im Grunde mitten im Argument das Thema wechseln.

Ein durchsichtiges, einfaches (und sexistisches) Beispiel für Äquivokation haben wir im Englischen in dem folgenden kleinen Argument:

(1) Only men can speak rationally.
(2) No woman is a man.

(3) Therefore, no woman can speak rationally.

Formal scheint das Argument unangreifbar. Das Problem muß im Inhalt liegen. Eine der Prämissen muß falsch sein. Aber welche? Das hängt davon ab, wie man sie liest. Das Schlüsselwort ist ,men'. Die erste Prämisse, so können wir argumentieren, ist wahr: Hunde, Affen beispielsweise, Goldfische, Plattwürmer

Papayas können überhaupt nicht sprechen, und Papageien, obgleich sie sprechen, tun sie es doch nicht vernünftig, sondern ahmen nur eine beschränkte Zahl von Redensarten nach, die ihnen jemand beigebracht hat. Doch wenn wir so argumentieren, dann lesen wir ‚men‘ im Sinne von ‚Menschen‘ – und nach dieser Lesart ist die zweite Prämisse falsch. Verstehen wir dagegen ‚men‘ als ‚Männer‘, um zu erreichen, daß die zweite Prämisse wahr ist, dann wird die erste Prämisse falsch. Aber es gibt keine einheitliche Lesart für ‚men‘, nach der beide Prämissen zugleich wahr sind.

In einer Äquivokation haben wir im Grunde ein subtiles Zusammenspiel von Form und Inhalt: Die Gültigkeit des Arguments selbst ist nicht vereinbar mit der gleichzeitigen Wahrheit seiner Prämissen. In gewisser Weise können wir wählen, was fehlgelaufen ist. Angenommen wir möchten das Argument als formal gültig ansehen. Gut, das geht. Wir können es so auffassen, als hätte es das folgende Skelett:

(1*) Nur A's sind B.
(2*) Kein C ist ein A.

(3*) Also ist kein C ein B.

Derselbe Buchstabe ‚A‘ in 1* wie auch in 2* besagt, daß, was auch immer er vertritt, er in jedem Fall gleich gelesen werden muß. Tun wir das aber, ist eine der Prämissen falsch, wie wir gerade gesehen haben.

Wir können uns auch umgekehrt entscheiden und beide Prämissen als wahr ansehen. Das heißt, wir können das Argument behandeln, als ob es lautete:

(1') Nur Menschen können vernünftig reden.
(2') Keine Frau ist ein Mann.

(3') Also kann keine Frau vernünftig reden.

Das Argument hat in diesem Fall jedoch folgendes Skelett:

(1**)   Nur *A*'s sind *B*.
(2**)   Kein *C* ist ein *D*.
         _____
(3**)   Also ist kein *C* ein *B*.

Und das ist offenkundig eine ungültige Form. (Steckt nicht in der Argumentation von 1' und 2' zu 3' gerade das Modell, das wir brauchen, um die Ungültigkeit dieser Form zu beweisen?)
 Was ist denn nun an dem ursprünglichen Argument nicht in Ordnung? Ist es ungültig? Ja, *wenn* wir beide Prämissen als wahr ansehen! Hat es also eine falsche Prämisse? Ja, *wenn* wir das Argument als formal gültig betrachten! Das Argument ist deshalb nicht in Ordnung, weil seine Gültigkeit selbst nicht mit der gleichzeitigen Wahrheit seiner Prämissen vereinbar ist – und das verletzt eine Regel vernünftigen Denkens. Es steckt eine Äquivokation in dem Schlüsselwort ‚men'. Deshalb ist das Argument nicht in Ordnung. Und jetzt brauchen wir ein vollständiges philosophisches Beispiel:[2]

(a)   Eine notwendige Wahrheit ist wahr.
(b)   Was wahr ist, ist auch möglicherweise wahr.
(c)   Was möglicherweise wahr ist, kann auch falsch sein.
       _____
(d)   Also kann eine notwendige Wahrheit auch falsch sein.

Aber natürlich kann eine notwendige Wahrheit nicht möglicherweise falsch sein. Irgendetwas stimmt da nicht. Aber was?
 Denken wir darüber nach! Formal scheint das Argument richtig konstruiert zu sein. Es sieht gültig aus. (Freilich garantiert

_____

[2] Es stammt aus: Paul Weiss, „The Paradox of Necessary Truth", in: *Philosophical Studies* 6, Nr. 2 (1955), S. 31 f. Weshalb sollte übrigens jemand so ein Argument *anbieten*? Nun, ein Motiv könnte darin liegen: Er möchte zeigen, daß irgendetwas an den Begriffen von Notwendigkeit und Möglichkeit nicht in Ordnung ist, daß sie *selbst* irgendeine begriffliche Inkohärenz beinhalten. Weiss' eigene Motive haben etwas mit „illegitimer Abstraktion" zu tun und scheinen recht obskur.

das nicht, daß es auch gültig *ist*.) Vielleicht ist eine der Prämissen falsch. Wie steht es mit *a*? Die Prämisse *a* sieht richtig aus. Wenn eine Behauptung *notwendig* wahr ist, dann ist sie bestimmt wahr. („Ein Dreieck hat drei Seiten" oder „$2+2=4$" können dafür als Beispiele dienen.) Wie steht es mit *b*? Nun, auch da scheint es keine Probleme zu geben. Wenn eine Behauptung tatsächlich wahr *ist*, dann ist gewiß, daß sie auch wahr sein *kann*. Es wäre in sich widersprüchlich zu sagen, daß dieselbe Behauptung sowohl wahr ist, als auch, daß sie unmöglich wahr sein kann; denn wäre sie nicht einmal möglicherweise wahr, dann *müßte* sie falsch sein. Keine Behauptung kann aber sowohl wahr als auch falsch sein, das heißt, wenn sie tatsächlich wahr ist, dann muß sie auch möglicherweise wahr sein. Und wie steht es mit *c*? Nun, *c* sieht auch ganz gut aus. Wenn man sagt, daß eine Behauptung möglicherweise wahr ist, heißt das, daß sie wahr sein kann, nicht, daß sie wahr ist. Sie kann wahr sein – aber sie kann auch falsch sein. (Natürlich kann sie nicht beides sein!) Nehmen Sie zum Beispiel die Behauptung: In diesem Jahr gab es viel Schnee auf dem Kilimandscharo. Die Behauptung ist möglicherweise wahr. Das heißt, sie kann wahr sein, aber sie kann auch falsch sein. Selbst wenn wir annehmen, sie sei wahr, so hätte sie doch falsch sein können. (Wenn der Wind entsprechend gedreht hätte, würde sie wahrscheinlich falsch gewesen sein.) Könnte sie nicht falsch sein, so *müßte* sie wahr sein – doch ist es bestimmt nicht *notwendig*, daß es in diesem Jahr auf dem Kilimandscharo heftigen Schneefall gab. Demnach sieht *c* auch richtig aus. Was ist denn sonst an dem Argument nicht in Ordnung?

Am besten schieben wir das Argument jetzt einmal einen Augenblick beiseite und denken stattdessen über Notwendigkeit und Wahrheit nach. Bevor wir anfingen, uns über die Prämissen dieses Arguments den Kopf zu zerbrechen, hätten wir schon daran denken können, alle Behauptungen nach vier Gruppen zu ordnen. Man kann sie einmal nach wahren und falschen unterscheiden. Und jede dieser Gruppen läßt noch eine Untergruppierung zu. Unter den wahren Behauptungen können wir die, die notwendig wahr sind (mit anderen Worten, die nicht falsch sein können) von denen unterscheiden, die faktisch wahr sind (die aber auch hätten falsch sein können). Ähnlich können wir bei den falschen Behauptungen die notwendig falschen (in sich widersprüchlichen), von denen unterscheiden, die faktisch falsch sind (jedoch auch hätten wahr sein können). Wenn wir die Behauptungen, die faktisch wahr oder falsch sind, *kontingente* Behauptungen nennen, dann haben wir folgende vier Arten von Aussagen:

NW: Notwendig wahr (z. B. „Ein Quadrat hat vier Seiten.")

KW: Kontingent wahr (z. B. „Manche Tische sind aus Metall.")

KF: Kontingent falsch (z. B. „Es wurde noch niemand durch eine Atomexplosion getötet.")

NF: Notwendig falsch (z. B. „Georgs Großvater hatte keine Kinder.")

Nun können wir zu unserem Argument zurückkehren. Wir müssen fragen: Welche dieser Gruppen enthalten Behauptungen, die *möglicherweise wahr* sind? Nachdem wir die Dinge so geordnet haben, merken wir, daß es mehrere verschiedene Antworten gibt. Das, so könnte man sagen, hängt davon ab, was man unter „möglicherweise wahr" *versteht*. Wenn wir darunter nicht mehr verstehen als „nicht notwendig falsch", dann enthalten die ersten drei Gruppen NW, KW und KF Behauptungen, die möglicherweise wahr sind. Doch wenn wir stattdessen damit „kontingent wahr" meinen, dann enthält nur die Gruppe KW Behauptungen, die möglicherweise wahr sind. Mit anderen Worten, es gibt zwei Lesarten für die Schlüsselwendung „möglicherweise wahr", mit der wir es hier zu tun haben. Welche hat nun der Argumentierende im Auge?

Die Antwort lautet natürlich, beide. Er benutzt die Schlüsselwendung äquivok. Die Prämisse *b* wird nur wahr, wenn wir „möglicherweise wahr" auf die erste Art lesen, nämlich als

„nicht notwendig falsch". Doch nach dieser Lesart ist die Prämisse c falsch. Zum Beispiel ist der Satz: „Ein Dreieck hat drei Seiten" nach dieser Lesart möglicherweise wahr, das heißt, er ist nicht notwendig falsch. Aber er *könnte auch gar nicht* falsch sein. Denn er ist notwendig wahr. Andererseits ist die Prämisse c nur wahr, wenn wir „möglicherweise wahr" auf die zweite Art lesen: als „kontingent wahr". Denn was kontingent wahr ist, könnte auch falsch sein. Doch dann wird die Prämisse b falsch. „Ein Dreieck hat drei Seiten", gut, das ist wahr, aber es ist nicht kontingent wahr und daher nach *dieser* Lesart auch nicht möglicherweise wahr. Es gibt jedoch keine einheitliche Lesart von „möglicherweise wahr", nach der sowohl Prämisse b als auch Prämisse c wahr wären. Und deshalb verstößt das Argument gegen die Regeln vernünftigen Denkens. Seine Gültigkeit ist nicht mit der gleichzeitigen Wahrheit seiner Prämissen vereinbar. Sein Autor macht sich einer Äquivokation schuldig. Und das ist die eine Art, einen Philosophen zu kritisieren.

2. Petitio principii

„Aber das ist doch, was du gerade *beweisen* willst! Das kannst du doch nicht einfach *voraussetzen*!" – das ist eine Klage, die man immer wieder in alltäglichen, beiläufigen Cafeteriagesprächen hören kann. Da steht eine andere Regel vernünftigen Denkens auf dem Spiel. Ihren Grundbegriff nur ungefähr zu fassen, ist recht einfach, viel schwieriger ist jedoch, sie zu präzisieren. Kurz und grob gesagt, enthält ein Argument dann eine petitio principii, wenn es seine Konklusion als eine Prämisse gebraucht.

Was ist an einem solchen Argument verkehrt? Nach unserem Diagnoseschema müßte der Fehler, wenn es einen gibt, entweder in der Form liegen oder im Inhalt. Nun liegt es auf der Hand, daß kein Argument, das eine petitio enthält, formal ungültig sein wird. Da jede Aussage aus sich selbst folgt, muß jedes Argument, das eine Aussage als Prämisse gebraucht (sei es im Zusammenhang mit anderen Prämissen oder auch als einzige) und das dann in der Konklusion zu derselben Aussage gelangt, gültig sein. Unmöglich können alle Prämissen wahr sein und die Konklusion falsch, ganz einfach weil eine der Prämissen die Konklusion ist und keine Aussage sowohl wahr als auch falsch sein kann.

Das Problem muß also im Inhalt liegen. Doch handelt es sich in diesem Fall nicht um unser übliches Inhaltsproblem. Gewöhnlich kritisieren wir den Inhalt eines Arguments aufgrund dessen, daß irgendeine von den Prämissen falsch ist. Aber können wir das hier auch tun? Schlüsselprämisse ist eindeutig diejenige, die auch als Konklusion erscheint. Die einzige Möglichkeit, das Argument zu bestreiten, besteht darin, *sie* in Frage zu stellen. (Alle anderen Prämissen sind, so gesehen, unwichtig. Die Konklusion folgt ohne weiteres zwingend aus sich selbst.) Ist also diese Prämisse falsch? Eigentlich müssen wir sagen, wir wissen es nicht. Genauer: Da die Prämisse mit der Konklusion identisch ist, haben wir in den Fragen: „Ist die Prämisse falsch?" und „Ist die Konklusion falsch?" *dieselbe* Frage vor uns.

Entscheidend ist, sich an dieser Stelle zu erinnern, daß jedes philosophische Argument in einem dialektischen Zusammenhang auftritt. In einer Diskussion gibt es zwei Parteien. Einerseits ist da der Kritiker, der die fragliche Konklusion bestreitet. Er glaubt, daß sie falsch ist. Andererseits gibt es die Verfechterin des Arguments. Sie akzeptiert die Konklusion, da sie sie für wahr hält. Doch bis jetzt besteht nur eine Meinungsverschiedenheit. Die philosophischen Methoden haben genau den Zweck, Möglichkeiten für die Auflösung einer solchen Meinungsverschiedenheit anzubieten. Sie verlangen vom Verfechter einer beliebigen These, daß er ein Argument für seine Ansicht liefert und Überlegungen anstellt, die sie stützen. Und sie verlangen vom Kritiker, der die These bestreiten will, daß er seinen Einwand nicht einfach gegen die Ansicht richtet, sondern direkt gegen das Argument, gegen die Struktur der Überlegung, die die Ansicht stützen soll. Die *Methode* der Philosophie setzt also notwendig voraus, daß ein Einwand gegen das Argument, das eine Konklusion stützt, sich von einem Einwand gegen seine Konklusion *unterscheidet*; eine Kritik an dem Argument, das eine Konklusion stützt, muß etwas anderes sein als bloße Meinungsverschiedenheit über die Konklusion. Kehren wir diese Feststellung um: Es ist eine Voraussetzung der philosophischen Methode, daß etwas nur dann die *Qualität eines Arguments* zur Stützung einer Konklusion hat, wenn ein Einwand gegen das, was die Stützung bewirken soll, sich von einem Einwand gegen das, was gestützt werden soll, unterscheidet.

Jetzt können wir sagen, was an einem Argument, das eine petitio principii enthält, verkehrt ist. Ein Philosoph, der ein solches Argument anbietet, verstößt gegen eine Regel vernünftigen Denkens: Er steht im Widerspruch zu einer Voraussetzung gerade jener Methode, die er anzuwenden behauptet. Was der Philosoph als vermeintliches Argument zur Stützung der Konklusion anbietet, erfüllt nicht die methodischen Anforderungen der philosophischen Disziplin, die er zu betreiben vorgibt. Es taugt nicht zum Argument, weil es, wie wir gesehen haben, nur einen Weg gibt, das angebliche Argument zu bestreiten und zwar indem man seine Schlüsselprämisse in Frage stellt, aber das ist genau dieselbe Frage wie die, mit der man seine Konklusion bestreitet. Demnach disqualifiziert sich ein Philosoph als ernstzunehmender Gegner, wenn er solch ein Argument vorbringt.

Es ist eine schwierige und subtile Sache, einem Argument eine petitio principii nachzuweisen, denn ein Philosoph wird kaum so ungeschickt sein, die beabsichtigte Konklusion ausdrücklich als Prämisse zu verwenden. Wird die Konklusion überhaupt als Prämisse gebraucht, dann wird sie wahrscheinlich nur implizit im Argument enthalten sein. Und das Freilegen impliziter Prämissen ist, wie schon gesagt, eine diffizile Begriffsarchäologie, die so viel sensibles Verständnis für die Argumentformen erfordert, wie nur durch lange Übung und Erfahrung zu erlangen ist.

Das Problem der petitio principii wird zusätzlich durch die Tatsache kompliziert, daß in jedem guten Argument in gewissem Sinne die Konklusion in den Prämissen „enthalten" ist, und zwar „enthalten" gerade insofern, als die Prämissen sie implizieren. Wenn die Prämissen wahr sind, dann muß die Konklusion auch wahr sein, so daß für gültige Argumente gilt: Die Frage nach der Wahrheit der Prämissen zu *entscheiden,* heißt immer zugleich auch, die Frage nach der Wahrheit der Konklusion zu *entscheiden.* Man muß aufpassen, daß man diese Koinzidenz der Antworten nicht mit der Identität der Fragen verwechselt, was den Trugschluß der petitio principii zustandebringt.

Allerdings kann es manchmal dialektisch angebracht sein, eine Behauptung als Prämisse zu nehmen, die mit der beabsichtigten Konklusion *logisch äquivalent* ist. Zwei Aussagen sind genau dann logisch äquivalent, wenn sie einander implizieren. Beispielsweise sind diese Aussagen logisch äquivalent:

Jedes vierbeinige Tier hat ein Fell.
Kein Tier mit vier Beinen ist ohne Fell.

Ebenso diese:

Wenn wir Jonas einladen, müssen wir auch Susanne einladen.
Wir können Jonas nicht einladen, ohne auch Susanne einzuladen.

Wenn eines der beiden Glieder wahr ist, so folgt, daß auch das andere wahr ist. In diesem Sinne „drücken sie dasselbe aus".

Es kann dialektisch vertretbar sein, eine der beiden logisch äquivalenten Aussagen als Prämisse zu nehmen und die andere als Konklusion, wenn es darauf ankommt, die vermutete logische Äquivalenz selbst *vorzuführen.* Eine solche Argumentation findet sich oft im Verlauf einer kritischen Dialektik. Eine Kritikerin will beweisen, daß sich ein Philosoph in Wirklichkeit selbst widersprochen hat. Dazu versucht sie zu zeigen, daß der Philosoph etwas akzeptiert hat, das in Wahrheit mit etwas äquivalent ist, was er ablehnt. Die Kritikerin nimmt eine der in Frage stehenden Behauptungen als eine Prämisse und versucht, eine Reihe gültiger Schritte vorzuführen, wodurch diese Behauptung in die andere transformiert wird. Sie will darauf hinaus, daß Prämisse und Konklusion ihres Arguments „dasselbe ausdrücken", denn die von ihr angestrebte *dialektische* Konklusion besagt gerade, daß sie *tatsächlich* „dasselbe ausdrücken". Ihre Ableitung der logisch äquivalenten Konklusion ist also im Grunde nur eine Zwischenstation auf dem Weg zu der kritischen These, um die es ihr eigentlich geht, wonach Prämisse und Konklusion ihres Arguments der ersten Stufe logisch äquivalent *sind*. Die Konklusion, die der erste Philosoph nun bestreiten muß, ist diese Behauptung auf der zweiten Stufe, nämlich die dialektische Konklusion der Kritikerin. Und diese Konklusion bestreiten, heißt nicht, die Prämisse des Arguments der ersten Stufe, das die Kritikerin vorgebracht hat, zu bestreiten (der erste Philosoph hat ja diese Prämisse bereits in seinem ursprünglichen Argument akzeptiert), es heißt vielmehr, seine Form, die Gültigkeit der Schritte bestreiten, die die Äquivalenz vorführen sollen. Also begeht die Kritikerin mit ihrem Argument, allem Anschein zum Trotz, in einem solchen Fall doch keine petitio principii. (Und der Anschein kann hier sehr trügen. Die meisten Philosophen sagen nicht so explizit oder deutlich, wie sie vielleicht sollten, worauf sie mit ihrer Dialektik hinauswollen.) Das erhellt vielleicht, so gut es überhaupt geht, wie entscheidend wichtig der *dialektische Zusammenhang* eines philosophischen Arguments ist. Hier haben wir noch einen weiteren Grund, weshalb für die philosophische Praxis die Geschichte der Philosophie methodisch von zentraler Bedeutung ist. Sie entfaltet philosophische Thesen in verschiedensten dialektischen Kontexten. Und so kann, wie wir gerade gesehen haben, dieselbe These – ja sogar dasselbe Argument – in verschiedenen dialektischen Zusammenhängen ganz unterschiedlich interpretiert und beurteilt werden. (Weiter unten werden Sie noch andere Beispiele für dieses Phänomen finden.)

Aus den gerade beschriebenen Gründen kommen echte Fälle einer petitio principii in philosophischen Argumenten nicht so ohne weiteres vor. Doch finden wir vielleicht in einer Argumentation im Umfeld des klassischen Problems der *Induktion* ein Beispiel dafür.

In einer ihrer Erscheinungsformen betrifft das Problem der Induktion die Frage, auf welcher Grundlage vernünftige Erwartungen in Bezug auf die Zukunft gebildet werden können. Jeder von uns hat solche Erwartungen, und offenbar bilden wir sie, indem wir unsere früheren Erfahrungen verallgemeinern. Das gängige Beispiel lautet: Die Sonne ist regelmäßig an jedem Tag aufgegangen, und deshalb ist es vernünftig zu erwarten, daß sie das auch weiterhin tun wird, es sei denn, wir hätten einen ganz besonderen Grund, etwas anderes anzunehmen. Wir erwarten, daß Wasser bei Temperaturen über 0° C flüssig bleibt und daß die Bäume im Herbst ihre Blätter verlieren und ihnen im nächsten Frühjahr gleiche Blätter wachsen. Wir erwarten, daß wir in demselben Bett aufwachen, in das wir uns abends schlafen gelegt haben, und daß wir auch dieselben sind wie am Abend zuvor – ausgeruhter vielleicht, aber von derselben Größe, demselben Geschlecht, Alter und Gewicht und mit denselben Fähigkeiten und Fehlern.

Doch wieso *sollten* Sie das erwarten? Warum müßte es Sie *überraschen*, wenn Sie eines Morgens aufwachten und, wie Gregor Samsa in Kafkas *Verwandlung*, entdeckten, daß Sie ein riesiger Käfer geworden sind? Warum sollte das im mindesten weniger wahrscheinlich sein als aufzuwachen und sich als derselbe wiederzufinden, der man am vorigen Abend war?

Diese Fragen bilden den Ausgangspunkt für eine ausgewachsene philosophische Dialektik. Zunächst einmal wird die Antwort wohl ungefähr lauten: Es ist einfach so, daß man *nicht* als Mensch zu Bett geht und als Käfer aufwacht. Wäre es manchmal so und manchmal anders, dann würde ich zugestehen, daß ich beim Schlafengehen nicht weiß, was mich am nächsten Morgen erwartet. Stattdessen gehe ich jeden Abend in der Erwartung schlafen, am nächsten Morgen als derselbe zu erwachen, und tatsächlich erwache ich auch morgens als ziemlich derselbe. Es ist also *vernünftig*, eben dies zu erwarten, denn die Erwartung erweist sich immer als richtig. Und das gilt allgemein. Was unsere Erwartungen in Bezug auf die Zukunft vernünftig macht, ist die Tatsache, daß sie zutreffen. Unsere Erwartungen werden immer wieder durch Erfahrung bestätigt. Was könnte vernünftiger sein?

Eine solche Antwort ist nun dem Vorwurf der petitio principii ausgesetzt. Bertrand Russell formulierte den Vorwurf, mit einer etwas anderen Akzentuierung, so:

> Es ist gesagt worden, daß es einen Grund gibt, aus dem die Zukunft der Vergangenheit ähneln müsse: die Zukunft ist ja dauernd Vergangenheit geworden und ist der Vergangenheit immer ähnlich gewesen, so daß wir die Zukunft aus Erfahrung kennen, nämlich durch unsere Erfahrung von Zeitabschnitten, die früher einmal Zukunft waren, und die wir eine vergangene Zukunft nennen könnten. Nun, ein solches Argument verschiebt in Wirklichkeit nur die Frage. Wir kennen nämlich die vergangene Zukunft und nicht die zukünftige Zukunft, und es bleibt die Frage: Wird die zukünftige Zukunft der vergangenen Zukunft ähnlich sein? Diese Frage kann kein Argument beantworten, das sich nur auf die vergangene Zukunft beruft.[3]

In unserer ersten Antwort wird behauptet, daß unsere Erwartungen in Bezug auf die Zukunft sich dadurch als vernünftig erweisen, daß sie sich erfüllen. Sie werden immer wieder durch Erfahrung bestätigt. Aber werden sie das wirklich? Gut, wir können zugeben, daß es immer so *war*. Aber wird es weiterhin so sein? Natürlich *erwarten* wir das, doch das ist eine Erwartung hinsichtlich der Zukunft. In der Antwort wird nur *angenommen*, daß das eine vernünftige Erwartung ist. Fraglich ist jedoch, ob es *überhaupt* Erwartungen hinsichtlich der Zukunft gibt, die vernünftig sind. Und so wird mit der Antwort eine petitio principii begangen.

[3] Bertrand Russell, *Probleme der Philosophie*, Frankfurt: Suhrkamp 1984, S. 58, dt. von E. Bubser.

Anstelle von Russells „vergangener Zukunft" und „zukünftiger Zukunft" haben wir hier unsere vergangenen Erwartungen und zukünftigen Erwartungen gesetzt. Doch der Punkt, auf den es ankommt, ist derselbe. Es ist die Frage, ob unsere Erwartungen vernünftig sind. Die Antwort erklärt, daß jede Erwartung, die sich erfüllt, vernünftig sei und daß unsere früheren Erwartungen eingetroffen seien. Werden sich unsere zukünftigen Erwartungen auch erfüllen? Das können wir natürlich nicht bestimmt sagen, aber die Antwort nimmt selbstverständlich an, daß es auf jeden Fall vernünftig sei zu *erwarten*, daß sich unsere zukünftigen Erwartungen erfüllen werden. Doch das heißt, zumindest eine Erwartung als vernünftig anzunehmen. Ein Argument, das diese Prämisse benutzt, um zu schlußfolgern, daß Erwartungen vernünftig sind, benutzt seine eigene Konklusion als Prämisse und verletzt damit die Regeln vernünftigen Denkens. Wer so antwortet, macht sich einer petitio principii schuldig. Und das ist die zweite Möglichkeit, einen Philosophen zu kritisieren.

3. *Infiniter Regreß*

Studienanfänger der Philosophie und selbst Fortgeschrittene lassen sich oft von dem Wort „infinit", unendlich, ziemlich einschüchtern. Sie meinen, Unendlichkeit sei etwas Überdimensionales, mit dem Verstand nicht ganz Faßbares, was sozusagen S p e r r d r u c k verdient. „Das Infinite übersteigt das menschliche Begriffsvermögen", so heißt es dann.

Nun, ich kann Sie beruhigen. In Wahrheit gibt es so ein *Ding* wie „Unendlichkeit" oder „das Infinite" gar nicht. (Natürlich könnte irgendein Philosoph so ein Ding in seine Weltanschauung einführen – und müßte uns dann erklären, worüber er eigentlich redet. Doch das kommt später.) Das Wort, um das es geht, ist nicht das Substantiv „Unendlichkeit" oder „*das* Infinite", sondern vielmehr das Adjektiv „infinit". Unendlichkeit ist kein Ding – aber es gibt unendliche Dinge. Das mag immer noch ein bißchen einschüchternd klingen, deshalb will ich Sie an einen alten Bekannten erinnern:

Die Reihe positiver ganzer Zahlen

$$1, 2, 3, 4, 5 \ldots$$

ist Ihnen ein vertrautes Beispiel einer unendlichen Reihe. Im allgemeinen sind unendliche Dinge so etwas wie Folgen, Reihen, Mengen, Klassen, Gruppen, Sammlungen – Dinge, die aus einer Mehrzahl von Elementen oder Gliedern zusammengesetzt sind. Ob so ein Ding unendlich ist oder nicht, hängt davon ab, aus *wievielen* Gliedern es besteht. Die Reihe positiver ganzer Zahlen hat eine unendliche Anzahl von Gliedern.[4] Man kann sagen, Unendlichkeit ist nicht eine „Superzahl" *in* der Reihe. Sie ist eine Zahl *für* die Reihe, eine Erklärung, wieviele Glieder die Reihe enthält.

Die Reihe positiver ganzer Zahlen hat kein letztes (größtes) Glied. Gehen wir die Reihe durch, erreichen wir nie den Endpunkt – nicht weil er „zu weit weg" ist, sondern weil es keinen *gibt.* Entsprechend hat die Reihe negativer ganzer Zahlen kein erstes (kleinstes) Glied:

$$\ldots \text{-}5, \text{-}4, \text{-}3, \text{-}2, \text{-}1$$

Im *Regreß,* das heißt, wenn wir die Reihe rückwärts durchlaufen, erreichen wir nie einen Anfangspunkt – wiederum nicht, weil er „zu weit weg" ist, sondern weil es keinen gibt. Natürlich sind nicht alle unendlichen Mengen so angeordnet wie die ganzen Zahlen. Doch gibt es bei einer solchen ungeordneten Menge oder Sammlung von Elementen immer eine unendliche Zahl von Möglichkeiten, ein Element nach dem anderen herauszugreifen – e_1, e_2, e_3 . . . – und sie in eine Reihenfolge zu *bringen*, die zum Beispiel den ganzen Zahlen entspricht:

[4] Genauer gesagt, sie hat eine *abzählbar* unendliche Zahl von Gliedern. Nicht alle infiniten Mengen haben die „gleiche Größe". Das ist eine verwirrende Behauptung, die in einem Zweig der Mathematik unter dem Namen „Transfinite Arithmetik" erforscht und bestimmt wird.

1, 2, 3, 4, 5 ...

$e_1, e_2, e_3, e_4, e_5 \ldots$

All diese verschiedenen Beispiele unendlicher Dinge haben eines gemeinsam: den Begriff des unabschließbaren Prozesses – eines Verfahrens, eine Reihe vorwärts oder rückwärts zu verfolgen oder Elemente aus einer ungeordneten Menge auszuwählen, ohne daß es an ein Ende gelangt. Es gibt eine Regel, die bestimmt, daß auf jeden Schritt gesetzmäßig ein nächster folgt, ohne daß es eine Regel gibt, die das Ende bestimmte. Unabschließbare Prozesse können in verschiedenen Bereichen auftauchen. Dauerschach beim Schachspiel ist ein Beispiel für einen solchen Prozeß. (Es mußte ein spezieller Zusatz für die Beendigung des Spiels in die Schachspielregeln aufgenommen werden, um sicherzustellen, daß jedes Spiel früher oder später notwendig zu Ende ist.)

Der infinite Regreß, für den sich die Philosophen interessieren, ist ein unabschließbarer rationaler Prozeß – ein Prozeß des Schlußfolgerns, Begründens, Erklärens, Rechtfertigens, Ableitens und so fort. Gegen unabschließbare rationale Prozesse ist im allgemeinen nichts einzuwenden. Nehmen Sie beispielsweise an, Tom sei groß. Es ist durchaus möglich, von dieser Annahme Schritt für Schritt eine unendliche Anzahl (gänzlich uninteressanter) notwendiger Folgen abzuleiten. (1) soll die Abkürzung für „Tom ist groß" sein. Dann folgt aus (1):

(2)   Es ist wahr, daß (1).

und

(3)   Es ist wahr, daß (2).

und

(4)   Es ist wahr, daß (3).

Und so fort, ohne Ende (ad infinitum, wie es im Lateinischen heißt). Natürlich sind alle diese logischen Folgen ganz langweilig, aber bloße Langeweile fällt philosophisch nicht ins Gewicht und spricht weder für noch gegen ein Argument.

Damit die Aufdeckung eines unabschließbaren rationalen Prozesses für eine philosophische Ansicht oder These kritisches Gewicht bekommt, bedarf es zusätzlicher Bedingungen. Erstens muß der Prozeß ein Regreß sein: Er muß vorschreiben, daß stets ein zweiter Schritt vor jedem ersten gemacht werden muß. Zweitens muß der behauptete Regreß eine echte Konsequenz der philosophischen Ansicht oder These sein, die kritisiert wird. Drittens, und das ist noch wichtiger, muß an diesem aufgedeckten infiniten Regreß etwas verkehrt sein. Der infinite Regreß muß für die philosophische Position, aus der er abgeleitet wurde, eine Inkohärenz darstellen. Ich gebe jetzt ein vergleichsweise einfaches Beispiel aus der philosophischen Reflexion über moralisches Handeln:

Eine traditionelle und plausible Ansicht über moralische Verantwortlichkeit besagt, daß jemand legitimerweise nur für die Handlungen zur Rechenschaft gezogen werden kann, die er in seiner Gewalt hat. Wenn mein Verhalten durch Drogen oder Hypnose bestimmt ist, durch die Manipulation meines Körpers mittels eingesetzter Elektroden, durch eine Gruppe kräftiger Ringkämpfer oder durch Reflexe wie den Kniesehnenreflex, dann verdient es weder Lob noch Tadel. Nur was man freiwillig tut, nur freiwilliges Handeln unterliegt zu Recht moralischer Bewertung. Und so stellt sich natürlich die Frage: Welches Handeln ist *freiwillig*? Worin besteht die Freiwilligkeit einer Handlung?

Eine klassische Antwort auf diese Frage lautet; die Freiwilligkeit einer Handlung besteht darin, daß sie eine spezielle *Ursache* hat. Jemand ist nur für das verantwortlich, was er „aus seinem eigenen freien Willen" tut. Freiwilliges Handeln ist also ein durch einen *Willensakt* (oder wie man manchmal sagt, durch eine Volition) verursachtes Handeln. In den oben genannten Fällen wird mein Verhalten durch die Tatsache entschuldigt, daß das, was ich tue, nicht etwas ist, was ich tun *will*. Mein Verhalten ist nicht durch einen Akt meines Willens, sondern durch chemische Reaktionen oder elektrische Entladungen oder durch die Suggestionen des Hypnotiseurs verursacht. Moralisch verantwortlich kann ich jedoch nur für das sein, was ich tun will, nur für das Verhalten, das von meinem Willen bestimmt ist. Demnach bin ich in solchen Fällen aus dem Schneider.

Nennen wir das die Willenstheorie. Der kritische Einwand gegen diese Theorie beginnt mit dem Aufdecken eines infiniten Regresses. Sehen Sie sich diese Willensakte selbst an. Sind sie freiwillig oder unfreiwillig? Wenn die Bestimmung der moralischen Verantwortlichkeit überhaupt plausibel sein soll, so müssen sie, scheint es, zweifellos freiwillig sein. Denn nehmen wir einmal an, sie wären es nicht, dann wäre ein Willensakt nicht mehr als etwas, das *in mir geschieht* – er wäre wie eine chemische Reaktion oder eine elektrische Entladung – oder wie etwas, das *mir geschieht*, wie die Suggestion des Hypnotiseurs. Er ließe sich von mir nicht steuern. *Mich* unter solchen Umständen für mein Verhalten zu tadeln, hätte nicht mehr Sinn, als eine Patrone dafür zu schelten, daß sie von der Zündnadel getroffen, losgeht. Auf sie hat etwas gewirkt, was das Losgehen verursachte. Ähnlich ist es mit meinen Willensakten. Wären sie selbst unfreiwillig, hieße das, etwas geschieht mir, das bei mir ein bestimmtes Verhalten hervorruft. Daran wäre jedoch nicht *ich* schuld.

Wenn also die Willenstheorie eine angemessene Bestimmung der Grenzen moralischer Verantwortlichkeit liefern soll, dann müssen die Willensakte selbst freiwillig sein. Und worin besteht die Freiwilligkeit der Willensakte? Nun, darin natürlich, daß sie eine spezielle Ursache haben. Ein Willensakt ist eben dann freiwillig, wenn er durch einen *weiteren* Willenakt verursacht wurde.

Jetzt können wir erkennen, wo der infinite Regreß einsetzt. Denn dieselbe Frage – freiwillig oder unfreiwillig? – stellt sich auch für die neuen Willensakte, und aus denselben Gründen erhält sie dieselbe Antwort. Daraus folgt also: freiwilligem Handeln muß eine unendliche Zahl von Willensakten vorausgehen, wobei ein jeder den ihm folgenden Akt verursacht.

Diese Feststellung offenbart eine Inkohärenz in der Willenstheorie. Wie Sie sich erinnern, behauptet die Theorie, die Frei-

willigkeit einer Handlung bestünde darin, von einem Willensakt verursacht zu sein. Doch haben wir dann entdeckt, daß nicht
jeder beliebige Willensakt dafür in Frage kommt. Es muß ein
freiwilliger Willensakt sein. Und wenn das so ist, dann haben
wir auf unsere ursprüngliche Frage keine Antwort erhalten.
Wir können *diese* Antwort nur verstehen, wenn wir bereits
wissen, was bestimmte Handlungen, nämlich Willensakte, zu
freiwilligen Handlungen macht. Unsere Frage ist aber: Was
macht *irgendeine* Handlung zu einer freiwilligen? Wir haben
nur die Wahl, die Theorie nochmals anzuwenden. Tun wir das
aber, so finden wir nur heraus, daß wir noch einen weiteren
freiwilligen Willensakt brauchen. Die Frage bleibt; sie wird
nicht gelöst.

Das ist der Kern der Kritik. Die Frage wird nicht gelöst. So
ist der Einwand eher dialektisch als logisch. Er disqualifiziert die
vorgeschlagene Antwort *als echte Antwort*, denn nur das gilt als
Antwort auf eine Frage, was man verstehen kann, ohne bereits
vorher die Antwort auf die Frage zu kennen. Deshalb verletzt
ein Philosoph, der diese Antwort vorschlägt, eine Regel vernünftigen Denkens. Er begeht, was man in unserem Metier
einen *fatalen* infiniten Regreß nennt. (Im Gegensatz dazu
könnte man einen infiniten Regreß, der nicht fatal ist, harmlos
nennen.)

Das ist in den Grundzügen die Strategie für unsere dritte Art,
einen Philosophen zu kritisieren. Die Willenstheorie von der
Freiwilligkeit des Handelns scheitert deshalb, weil sie einen fatalen infiniten Regreß zur Folge hat. Es ist ein infiniter *Regreß*,
weil die Freiwilligkeit einer Handlung nur dann sichergestellt
ist, wenn zuvor die Freiwilligkeit des Willensaktes, der sie verursacht, sichergestellt ist. Die Freiwilligkeit der Ursache muß
vor der Freiwilligkeit der Wirkung erwiesen sein, wenn die
Ursache ihrerseits die Freiwilligkeit der Wirkung garantieren
soll. Und es ist ein *fataler* Regreß, weil – unter der Voraussetzung, daß die hypothetische volitionale Ursache selbst eine
Handlung (ein Willensakt) ist – das *Problem*, eine Erklärung
für ihre Freiwilligkeit zu liefern, dasselbe Problem ist, mit dem

106

unsere Untersuchung begann – nämlich das Problem, die Freiwilligkeit irgendeiner Handlung zu erklären. Der Vorschlag des Willenstheoretikers verletzt demnach eine Regel vernünftigen Denkens und disqualifiziert sich als Antwort auf unsere ursprüngliche Frage. Denn eine Antwort kann nur etwas sein, was man verstehen kann, ohne die Antwort auf die Frage bereits vorher zu kennen.

Nur ein infiniter Regreß, durch den in einer philosophischen Ansicht so eine dialektische Inkohärenz zu Tage tritt, wird eigentlich als *fataler* Regreß angesehen. Und nur das Entdecken so eines regelrecht fatalen Regresses hat unbestritten kritisches Gewicht. Zu bestimmen, ob ein infiniter Regreß im Einzelfall harmlos oder fatal ist, stellt eine ebenso schwierige und komplexe Aufgabe dar wie zu bestimmen, ob ein gegebenes Argument eine petitio principii enthält oder nicht. Wie bei der petitio principii ist das dialektische Umfeld eines infinten Regresses entscheidend, denn dieselbe These kann in dem einen Zusammenhang einen harmlosen Regreß zur Folge haben, im anderen einen fatalen und muß im dritten zu gar keinem infiniten Regreß führen. Aus diesem Grunde sind echte Fälle von fatalem infinitem Regreß in der philosophischen Praxis relativ selten – seltener noch als manche Philosophen meinen. Dennoch ist, wie bei den Argumenten, die eine echte petitio principii enthalten, manchmal der dialektische Kontext gerade entsprechend und es wird eine Erklärungshypothese vorgeschlagen, die einen wirklich fatalen Regreß impliziert. Wenn Sie einen solchen Fall entdecken und vorführen können, dann allerdings haben Sie eine dritte Möglichkeit, einen Philosophen zu kritisieren.

4. *Verlorener Gegensatz*

„Gleichheit vor dem Gesetz" ist eine Maxime, die sicher noch eher für die Gesetze der Logik gilt als für die Gesetze unserer unvollkommenen Gesellschaft. Als positives Prinzip fordert sie für gleichartige Fälle gleiche Behandlung. Negativ sagt sie uns, daß eine ungleiche Behandlung nur dann gerechtfertigt ist, wenn wir auf Eigenschaften verweisen können, die der eine Fall besitzt, der andere aber nicht. Es darf keine unterschiedliche Behandlung geben, es sei denn, es gibt einen Unterschied.

In unserem Zusammenhang eröffnet uns dies Prinzip eine weitere Gruppe von Regeln vernünftigen Denkens. Auf Argumente angewandt, besagt es, daß gleiche Prämissen gleiche Konklusionen stützen. Als ein Prinzip jeder rationalen Untersuchung verlangt es, daß gleiche Daten gleiche Hypothesen bestätigen und daß analoge Phänomene analoge Erklärungen finden sollten. Allen diesen Regeln liegt eines zugrunde: Die Begründungsrelation oder Implikationsrelation zwischen Prämissen und Konklusion, die Erklärungsrelation zwischen Theorie und Phänomen und die Bestätigungsrelation zwischen Daten und Hypothese sind alle im weitesten Sinne logische Beziehungen – und Logik ist formal. Daß logische Relationen bestehen, hat eher mit abstrakten Mustern des Argumentierens und Beweisens zu tun als mit einem bestimmten Inhalt. Bei den Gleichheiten, Ähnlichkeiten und Analogien, die in den Regeln erwähnt sind, handelt es sich also im Grunde um formale Gleichheiten. Sie beziehen sich auf die allgemeine Struktur von Prämissen, Daten oder Phänomenen, ohne besonders zu berücksichtigen, was diese Behauptungen im einzelnen sagen mögen.

Philosophen machen Unterscheidungen. Da die Philosophie dialektisch verfährt, gibt es immer wieder Anlaß zu *Dichotomien* – Unterteilungen nach Begriffspaaren, die einen *Gegensatz* bilden, einander ausschließen und in Opposition zueinander stehen sollen. Mit einigen solchen Begriffspaaren haben wir schon zu tun gehabt, andere haben wir erwähnt – ‚notwendig‘ im Gegensatz zu ‚zufällig‘, ‚frei‘ im Gegensatz zu ‚determiniert‘, ‚mental‘ im Gegensatz zu ‚materiell‘. Es wäre nützlich, ein kritisches Werkzeug in unserem Handwerkskasten zu haben, mit dem wir solche Unterscheidungen beurteilen oder genauer: die Argumentation beurteilen könnten, mit der ein Philosoph versucht, eine Unterscheidung zu stützen.

Unsere Gleichheitsmaxime und die Regeln vernünftigen Denkens, auf die sie abzielt, sind eben solche Werkzeuge. Jede Unterscheidung erfordert einen Unterschied. Wenn es keinen Unterschied gibt, löst sich die vermutete Unterscheidung in Luft auf; der vermeintliche Gegensatz *geht verloren.* Wir müssen also untersuchen, welche Überlegungen ein Philosoph anstellt, um Phänomene auf die eine oder andere Seite einer Dichotomie zu stellen. Angenommen beispielsweise, eine Philosophin will Fälle von X trennen von Fällen von Y. Sagen wir, sie klassifiziert A als ein X und B als ein Y. Unsere Gleichheitsmaxime sagt uns, daß diese Klassifikation nur dann berechtigt ist, wenn sie einen relevanten Unterschied zwischen A und B nennen kann. Wenn wir andererseits für jede Überlegung zugunsten der Klassifikation von A als ein X eine parallele Überlegung finden, die auf B paßt, und wenn wir für jede Überlegung zugunsten der Klassifikation von B als ein Y eine ebensolche Überlegung finden, die auf A paßt (mit anderen Worten, wenn wir zeigen können, daß es keinen relevanten Unterschied zwischen A und B gibt), dann ist der vermeintliche Gegensatz verloren. A und B können beide Fälle von X oder beide Fälle von Y sein, doch wenn es keinen Unterschied gibt, dann können wir zumindest sicher sein, daß sie nicht zu Recht verschieden klassifiziert werden können. Und jetzt ist es Zeit für ein Beispiel.

Der vielleicht größte Meister dieser Art von Kritik war Bischof George Berkeley. Die wichtigste Unterscheidung, die Berkeley aus der Welt zu schaffen versuchte, war die zwischen *Geist* und *Materie.* Er wollte beweisen, daß es nichts gibt, was außerhalb des Geistes existiert. (Auf den ersten Blick ist das eine ganz abwegige These – jedoch dann nicht, wenn es Berkeley gelingt, sie zu beweisen!) Esse est percipi – die Existenz der Welt besteht in ihrem Wahrgenommenwerden. Zu diesem Zweck hat Berkeley für uns drei besonders reizvolle philosophische Dialoge geschrieben, die Dialoge zwischen Hylas und Philonous (Hylas von griechisch ‚hylē‘, d. h. „Materie", und Philonous von ‚philos nous‘, der „Freund des Geistes"). Diese Dialoge sind Perlen der Dialektik: Unerbittlich führt Philonous seinen kritischen Angriff gegen den hartnäckigen Hylas, der langsam von Formulierung zu Neuformulierung zurückweicht, aber immer an seiner Grundüberzeugung festhält, daß Materie etwas *Reales* sei.

Der erste Dialog beginnt mit der Frage, ob es *sinnliche Qualitäten* außerhalb des Geistes gibt. Mit ‚sinnlichen Qualitäten' meint Berkeley jene Eigenschaften von Gegenständen, die den verschiedenen Sinnen zugänglich sind – Farben, Formen, Geräusche, Gerüche, ertastbare Strukturen, Wärme, Kälte. Hylas sagt natürlich, ja. Sinnliche Qualitäten gibt es „draußen" in der Welt, im Gegensatz beispielsweise zu *Schmerzen*, die nur „in uns" sind und die nicht existieren, sofern sie nicht von jemandem erfahren (gefühlt) werden. Berkeley benutzt das Beispiel Wärme, um mit der Stimme des Philonous die Unterscheidung von Hylas zu kritisieren und zwar durch den Nachweis eines verlorenen Gegensatzes:

PHILONOUS: Sage mir, ob wir nicht in zwei vollkommen gleichen Fällen dasselbe Urteil abgeben müssen?

HYLAS: Gewiß.

PHILONOUS: Wenn du dich mit einer Nadel in den Finger stichst, zerreißt und teilt sie nicht die Fasern deines Fleisches?

HYLAS: Jawohl.

PHILONOUS: Und wenn du dir an einer Kohle den Finger verbrennst, tut sie nicht das gleiche?

HYLAS: Jawohl.

PHILONOUS: Da du also weder von der durch die Nadel verursachten Empfindung urteilst, sie oder etwas Ähnliches sei in der Nadel, so solltest du auch nicht, nach dem eben Zugestandenen, von der durch das Feuer verursachten Empfindung urteilen, sie oder irgend etwas ihr Ähnliches sei im Feuer.[5]

---

[5] George Berkeley, *Drei Dialoge zwischen Hylas und Philonous*, Hamburg: Meiner 1980, S. 21, dt. von Raoul Richter.

Hylas möchte die Empfindung von Wärme als „im Feuer", die Empfindung von Schmerz dagegen als „in uns" klassifizieren. Philonous antwortet, dies sei eine Unterscheidung ohne Unterschied. Muß Wärme dem Feuer zugeordnet werden, weil wir sie immer dann fühlen, wenn Feuer auf uns wirkt? Dann gehört der Schmerz zur Nadel, denn wir fühlen ihn immer dann, wenn die Nadel uns sticht. Muß der Schmerz uns zugeordnet werden, weil es eine Empfindung ist, die wir haben? Dann ist auch die Wärme in uns, denn sie ist ebenfalls eine Empfindung, die wir haben. Zu jeder Überlegung, die Wärme als „im Feuer" klassifiziert, gibt es eine parallele Überlegung in Bezug auf den Schmerz und zu jeder Überlegung, die Schmerz als „in uns" klassifiziert, können wir eine ebensolche Überlegung in Bezug auf die Wärme finden. Es gibt keinen relevanten Unterschied. Der vermeintliche Gegensatz ist verloren. Wärme und Schmerz können *beide* „dort draußen" sein oder auch *beide* „in uns". Dies Argument allein kann uns nicht zeigen, welcher Konklusion letztlich beizupflichten wäre. Aber so viel ist zumindest sicher: man kann sie nicht verschieden klassifizieren. Ein Philosoph wie Hylas, der für Wärme und Schmerz ungleiche Behandlung vorschlägt, ohne einen relevanten Unterschied zu nennen, verletzt die Regeln vernünftigen Denkens. Die von ihm vorgeschlagene Unterscheidung beruht auf einem verlorenen Gegensatz. Und das ist eine vierte Art, einen Philosophen zu kritisieren.

5. Leere Behauptung *These hat keine positiven Konsequenzen. / Irrelevanz*

„Glauben Sie mir, in meiner Armbanduhr steckt ein Dämon!" – „Sehr interessant", werden Sie vielleicht sagen. „Machen wir die Uhr doch auf, und sehen wir nach." – „Sie können die Uhr aufmachen, wenn Sie wollen", antworte ich, „aber es wird Ihnen wenig nützen. Ich habe versäumt, etwas Entscheidendes zu erwähnen: Es handelt sich um einen unsichtbaren Dämon." – „Dann will ich ihn ertasten", sagen Sie. „Verzeihung", antworte ich, „es ist ein untastbarer Dämon." – „Kann ich ihn hören?", fragen Sie. „Nein, er ist nicht zu hören – er ist auch geruch- und geschmacklos, wenn Sie das meinen." – „Aber wie wissen Sie dann, daß es ihn gibt?", fragen Sie. „Ist er radioaktiv?" – „Nein." – „Magnetisch?" – „Nein." – „Können Sie seine Ausstrahlungen übers Radio empfangen?" – „Nein." – „Beeinflußt er denn wenigstens die Funktionsweise der Uhr? Geht die Uhr zum Beispiel langsamer oder schneller aufgrund des Dämons in ihr?" – „Ich kann Ihnen viel Mühe ersparen", antworte ich. „Er beeinträchtigt die Funktion der Uhr überhaupt nicht. Es ist wirklich ein *ganz und gar unentdeckbarer* Dämon. Und trotzdem sage ich Ihnen, es steckt ein Dämon in meiner Armbanduhr."

Wenn Sie jetzt Ihre fünf Sinne beisammen haben, sagen Sie darauf so etwas wie: „Verraten Sie mir doch mal, was der Unterschied ist zwischen einer Armbanduhr, in der ein ganz und gar unentdeckbarer Dämon steckt, und einer Armbanduhr, in der *gar kein Dämon* ist."[6]

Was sollen wir unter diesen Umständen von der Behauptung halten: „In meiner Armbanduhr steckt ein Dämon?" Ist sie *wahr*? Nun, angenommen, wir behaupteten das. Was folgte daraus? Es folgt nicht, daß irgend jemand zu irgendeiner Zeit in irgendeiner Situation irgend etwas besonderes sehen, hören, riechen, schmecken oder ertasten wird. Es folgt auch nicht, daß die Uhr selbst, ein Geigerzähler, ein Radioapparat oder irgend etwas anderes deshalb jemals anders funktionieren wird. Offensichtlich folgt überhaupt nichts daraus.

Gut, sollen wir dann sagen, die Behauptung sei *falsch*, es gäbe *keinen* Dämon in meiner Armbanduhr? Und was würde daraus folgen? Was würden wir denn da verneinen? Was ausschließen? Natürlich genau dasselbe, nämlich überhaupt nichts. Es spielt also in Wirklichkeit gar keine Rolle, was wir sagen, nicht wahr?

Anfangs sah es so aus, als stellte ich eine einfache, wenn auch überraschende Behauptung über meine Armbanduhr auf,

6 Dies Beispiel geht auf John Wisdoms „Parabel vom Gärtner" zurück, in: *Logic and Language*, First Series, hrsg. von Antony Flew, Oxford: Basil Blackwell 1963, Essay X, S. 192 ff.

etwa so wie: „In meiner Armbanduhr sind Zahnräder" oder „In meiner Armbanduhr ist eine Uhrfeder". (Beides ist in Wirklichkeit falsch – ich habe eine Digital-Quarz-Uhr.) Doch nun zeigt sich, daß ich ebensogut hätte sagen können: „In meiner Armbanduhr ist ein Mulpsibel", und auf die Frage, was ein Mulpsibel sei, hätte ich antworten können: „Ich habe nicht die leiseste Ahnung."

Übrigens, was hat eigentlich meine Armbanduhr damit zu tun, was ich gesagt habe? Hätte ich gesagt: „Zahnräder sind ..." oder „Eine Uhrfeder ist ..." und dann hinzugefügt, „in meiner Armbanduhr", so hätte ich Ihnen dadurch mitgeteilt, *wo Sie nachsehen könnten*, falls es Sie interessierte herauszufinden, ob das, was ich gesagt habe, wahr oder falsch ist. Aber was in meiner Armbanduhr vor sich geht, erweist sich als gänzlich irrelevant für die Frage, ob der Satz: „Ein Dämon ist in meiner Armbanduhr" wahr oder falsch ist. *Alles* hat sich als gänzlich irrelevant für diese Frage erwiesen. Sie könnten ebensogut in meiner Teetasse nachsehen oder in Ihrem linken Schuh. Was Sie dort fänden, wäre für die Frage ebenso belanglos wie das, was Sie in meiner Armbanduhr entdecken würden. Es scheint, als habe sich meine Behauptung gar nicht wirklich *auf* meine Armbanduhr bezogen. Gut, die Worte hat es gegeben, doch so wenig, wie sie Ihnen haben helfen können zu verstehen, was ich gesagt habe, hätte man sie ebensogut durch irgendwelche anderen Worte ersetzen können.

Übrigens hätte man sie auch ebensogut durch keine Worte ersetzen können. Ich hätte auch gesagt haben können: „Astogobbel mixplet ist krandsumdickel." Wäre das dann wahr oder falsch gewesen? Weder noch, es liegt nicht einmal in Reichweite von wahr oder falsch!

Verblüffend, daß die Behauptung: „In meiner Armbanduhr steckt ein Dämon" – obgleich sie ganz anders *aussah* (und vielleicht in Ihrer Phantasie viele bezaubernde Vorstellungen weckte) – in die gleiche Rubrik gehört. Sie ist nicht wahr, aber sie ist auch nicht falsch. Sie liegt einfach nicht in Reichweite von wahr und falsch. Sie ist *leer.*

Das ist verlorener Gegensatz, mehr noch verlorener Gegensatz auf die Spitze getrieben. Es ist nicht so, als ob es einen ganz klaren Unterschied zwischen gewöhnlichen Armbanduhren und dämonenbesessenen Armbanduhren gäbe, wobei das Problem nur darin bestünde, ob *Ihre* und *meine* Uhr gleich zu klassifizieren wären. Viel schlimmer. Wir haben hier nicht den Fall, daß eine Unterscheidung falsch oder grundlos angewandt wurde. Vielmehr wurde überhaupt kein Unterschied gemacht. Der Satz: „In meiner Armbanduhr steckt ein Dämon" hatte gar keine Funktion. Er hat weder etwas mit Dämonen zu tun, noch mit Armbanduhren, noch mit irgend etwas anderem. Ich *sage* ihn einfach so ab und zu, aber er ist leer; er ist bloß ein Geräusch von mir. Hier ist ein Gegensatz verloren gegangen, das stimmt, aber es ist nicht der Gegensatz zwischen zwei Arten von Armbanduhren; es ist der Gegensatz zwischen ‚*etwas sagen*‘ und ‚*bloß Geräusche machen*‘.

Auch hier geht es um eine Regel vernünftigen Denkens. Man könnte sie so formulieren: Richtige Grammatik macht noch keine These. Sinnvolle Behauptungen müssen sinnvolle Konsequenzen haben. Wenn dagegen im Verlauf der Diskussion sich eine Behauptung immer mehr von allen positiven Konsequenzen löst, verliert sie ihre Glaubwürdigkeit als *These*, die es zu verteidigen oder kritisieren gilt. Eine Behauptung verteidigen heißt, ihre Wahrheit beweisen; sie kritisieren heißt, ihrem Verteidiger Gründe liefern, sie als falsch fallen zu lassen. Jedes dieser Verfahren ist jedoch nur dann sinnvoll, wenn man annehmen kann, daß die Behauptung in Reichweite von wahr oder falsch liegt, daß sie einen Inhalt besitzt. Denn erinnern Sie sich: ob eine These akzeptiert oder zurückgewiesen wird, ist letztlich davon abhängig, ob man mit Erfolg zeigen kann, daß sie mit einer ganzen Familie von Behauptungen kohäriert oder zu ihr in Widerspruch steht, die für eine dialektische philosophische Position charakteristisch ist. Eine Behauptung, die von irgendwelchen positiven Konsequenzen völlig unabhängig ist, kann jedoch *weder* in Kohärenz mit *noch* in Widerspruch zu anderen Behauptungen stehen. Solch eine Behauptung ist demnach weder

verteidigbar noch kritisierbar. Sie ist überhaupt h
Sie ist leer.

Und wie sieht das alles in der Praxis aus? Ein paar
weiter vorn trafen wir Hylas ziemlich am Anfang von B_
leys drei Dialogen. Sehen Sie ihn sich jetzt an, wie er sei_
letzte Stellung verteidigt, wie er um das Vorhandensein de_
Materie kämpft und untergeht:

PHILONOUS: ... erkläre mir bitte, wie sie (die Materie) nach
deiner Annahme existiert oder was du mit
ihrem *Dasein* meinst?

HYLAS: Weder denkt sie, noch wirkt sie, nimmt weder
wahr, noch wird sie wahrgenommen.

PHILONOUS: Aber was ist dann Positives in deinem abstrakten Begriff ihres Daseins vorhanden?

HYLAS: Bei genauer Beobachtung entdecke ich in mir
keinerlei positiven Begriff oder Sinn davon.
Ich wiederhole dir, ich schäme mich des Bekenntnisses meiner Unwissenheit nicht. Ich
weiß nicht, was unter ihrem *Dasein* zu verstehen ist, noch wie sie existiert.

Philonous holt zum letzten Schlag aus:

PHILONOUS: Wenn du also vom Dasein der Materie sprichst,
hast du keinerlei Begriff in deinem Geist?

HYLAS: Gar keinen.

PHILONOUS: Sage mir doch, steht die Sache nicht so: Zuerst
aus einem Glauben an eine materielle Sub-
stanz wolltest du, daß die unmittelbaren Gegenstände unabhängig vom Geist existier-
ten, dann, daß sie Urbilder seien, dann Ursachen, danach Werkzeuge, dann Gelegenheiten,
schließlich *Etwas im allgemeinen*, das, wenn
man es nicht erklärt, *Nichts* bedeutet. So
kommt Materie auf Nichts hinaus. Was meinst

115

	du, Hylas, ist dies nicht der wirkliche Inhalt deines ganzen Verfahrens?
HYLAS:	Wie dem auch sei, ich bestehe doch darauf, daß unsere mangelnde Fähigkeit Etwas aufzufassen, kein Beweis gegen dessen Dasein ist.
PHILONOUS:	Ich gebe gern zu, daß man aus einer Ursache, Wirkung, einem Vorgang, Anzeichen oder anderen Umstande vernünftigerweise auf das Dasein eines nicht unmittelbar wahrgenommenen Dinges schließen kann und daß es sinnlos wäre, wollte jemand seine Einwände gegen das Dasein dieses Dinges daraus, daß kein unmittelbarer und positiver Begriff davon da ist, herleiten. Wo aber nichts von alledem besteht, wo weder Vernunft noch Offenbarung uns dahin führen, an das Dasein eines Dinges zu glauben, wo wir nicht einmal einen Beziehungsbegriff (a relative notion) davon besitzen, wo abgesehen worden ist von Wahrnehmen und Wahrgenommenwerden, von Seele und Vorstellung, endlich, wo nicht einmal auf die unvollkommenste und schwächste Vorstellung Anspruch erhoben wird – da will ich allerdings daraus nicht gegen die Wirklichkeit eines Begriffes oder das Dasein von etwas schließen, wohl aber den Schluß ziehen, daß du überhaupt gar nichts meinst, daß du leere Worte ohne jeden Zweck und Sinn gebrauchst. Und ich überlasse es dir zu erwägen, wie bloßes Geschwätz behandelt werden muß.[7]

Philonous' Argument gegen Hylas (das heißt eigentlich Berkeleys gegen seinen philosophischen Vorläufer John Locke, der das Vorhandensein von Materie verteidigt hatte) ist: Deine Behauptung „Materie existiert" ist leer. Indem du sie immer weiter

[7] Berkeley, *Drei Dialoge*, a.a.O., S. 86 ff.

von allen positiven Konsequenzen isolierst, hast du deine Behauptung jeglichen Inhalts entleert und sie zu einem bloßen Geräusch reduziert. Damit hast du dich für das Spiel disqualifiziert. Ich bin von meiner philosophischen Pflicht zu beweisen, daß sich aus deiner These eine Inkohärenz ergibt, entbunden, einfach deshalb, weil du keine These mehr vertrittst. „Wo keine Vorstellungen sind, da kann man keinen Widerspruch zwischen Vorstellungen aufdecken." Du hast die sicherlich fundamentalste Regel vernünftigen Denkens verletzt, die methodische Grundvoraussetzung für jedes rationale Forschen, nämlich daß es eine *These* geben muß, die es zu untersuchen gilt. Also ist das Spiel aus. Der Geist triumphiert sozusagen über die Materie, doch er gewinnt, weil der Gegner die Spielregeln verletzt hat.

Und das ist schließlich unsere fünfte Möglichkeit, einen Philosophen zu kritisieren.

7. Definitionen, Analogien und Gedankenexperimente

Unser Urteil über den Erfolg oder Mißerfolg einer philosophischen Argumentation hängt sehr oft (und das ist typisch) davon ab, wie wir bestimmte *Termini*, die im dialektischen Vorgehen eine wichtige Rolle spielen, interpretieren oder definieren. Manchmal stammen diese Termini aus dem Fachjargon – Worte wie ,analytisch', ,synthetisch', a priori', ,a posteriori', ,kontrafaktisch', ,Substanz', ,Attribut', ,Einzelding' und ,Sinnesdatum'. Es ist ein Jargon, den die Philosophen geschaffen, beziehungsweise sich angeeignet haben, um bestimmte Vorstellungen zu benennen oder bestimmte Unterscheidungen zu markieren, die in unserem alltäglichen Vokabular weniger klar bezeichnet oder auch nicht ausdrücklich berücksichtigt sind. Manchmal werden es Begriffe sein, die dem Alltagsvokabular entnommen sind – Termini wie ,Gewißheit', ,Notwendigkeit', ,Vorstellung', ,Begriff', ,Empfindung', ,Gesetz' und ,Wert' – die der Philosoph jedoch besonders präzisiert oder denen er für seine Zwecke eine spezielle Bedeutung beilegt. Jedenfalls wird unser Urteil darüber, ob die Aussagen eines Philosophen *wahr* sind, oft davon abhängen, wie wir verstehen, was er mit dem *meint*, was er sagt. Und deshalb wird es nützlich sein, kurz zu untersuchen, wie man denn *herausfinden* (oder entscheiden) kann, was ein Philosoph *tatsächlich* meint.

Außerdem ist es leider so, daß Philosophen nicht immer so entgegenkommend sind, ihre Meinungen und Überlegungen in Form direkter Argumente vorzubringen, die man nur ein bißchen umformen müßte, damit man ihre Muster, Prämissen und Voraussetzungen erkennen kann. Jedes philosophische Werk ist, unter anderem, ein *literarisches* Gebilde und kann stilistisch vom trockenen Formalismus einer Gerichtsakte bis zu reizvollen

Dialogen von der Art reichen, wie wir sie vorhin untersucht haben. Sie werden also in philosophischen Werken neben direkten Argumenten wahrscheinlich einer reichen Vielfalt _rhetorischer Strategien_ begegnen, Strategien, die nicht so sehr darauf abzielen, eine Konklusion zu erweisen, indem sie diese aus passenden Prämissen logisch ableiteten, sondern die darauf abzielen, eine Konklusion _plausibel_ zu machen, indem sie zeigen, daß sie mit anderen Ansichten über die Welt, über die man sich einig ist, zusammenhängt oder daß sie etwas erklären kann, was sonst rätselhaft und dunkel bleiben würde. Auch wenn wir natürlich nicht alle möglichen solchen rhetorischen Strategien aufzählen und untersuchen können, so sind einige doch so häufig und nützlich, daß man sie in einem Elementarkurs wie diesem erwähnen sollte.

Sie sind also Gegenstand dieses Kapitels. Ich will zunächst ein paar warnende Bemerkungen über _Bedeutungen_ und insbesondere über „Definitionen" und Wörterbücher machen und dann zwei brauchbare rhetorische Strategien besprechen, die für philosophische Schriften besonders charakteristisch sind: die Verwendung von _Analogien_ und das einfallsreiche Heranziehen von _Gedankenexperimenten_.

Was Ihr Wörterbuch Ihnen nicht vermitteln kann

Wenn Sie ein unbekanntes Wort verwirrt, dann werden Sie gewöhnlich nach dem nächsten Wörterbuch greifen, und oft ist das, was Sie dort finden, wirklich hilfreich. Das heißt, was Sie im Wörterbuch finden, hilft oft, Ihre anfängliche Unklarheit zu beseitigen und begreifen zu können, worauf ein Autor hinauswill, so daß Sie weiterlesen können. Ein solcher Vorgang wird gewöhnlich mit den Wörtern „bedeuten" und „meinen" beschrieben. Anfangs ist Ihnen unklar, „was der _Autor_ meint", weil Sie nicht verstehen, „was irgendein _Wort_ meint oder bedeutet". In Ihrem Wörterbuch „schlagen Sie die Bedeutung des Wortes nach", und dann kennen Sie sowohl „die Bedeutung des Wortes", also „was das Wort meint", als auch „was der Autor meint". Ihre Unklarheit bezog sich auf die „Bedeutung", und indem Sie sich an das Wörterbuch wandten, wurde diese Unklarheit beseitigt. Es ist also nur natürlich anzunehmen, daß das, was man im Wörterbuch findet, „die Bedeutungen von Wörtern" *sind*, daß ein Wörterbuch *Bedeutungen enthält*. Das ist nur natürlich, aber es ist doch ein Irrtum.

Was man in einem Wörterbuch findet, sind nicht „die Bedeutungen von Wörtern", sondern *weitere Wörter*. Das ist tatsächlich das oberste Gesetz der Wörterbuch-Erstellung: Jedes Wort muß einen *Eintrag* haben, und jeder Eintrag besteht dann aus *anderen Wörtern*. Ein zweites Gesetz ist zum Teil dafür verantwortlich, daß das Wörterbuch in Fällen, wie dem gerade beschriebenen, so hilfreich ist. Wenn das Stichwort *fremd* (selten oder wenig gebraucht) ist, dann müssen die anderen Wörter *bekannter* sein (üblich und häufig verwendet). Es wäre wirklich ein schlechtes Wörterbuch, würde darin das Stichwort ‚permanent‘ als ‚kontinuierlich‘ „definiert", wo doch ‚fortdauernd‘ oder ‚ununterbrochen‘ so viel hilfreicher ist.

Nun wird es *manchmal* schon so sein, daß die auf ein Stichwort folgenden Wörter alle zusammengenommen im mündlichen und schriftlichen Gebrauch im großen und ganzen die gleiche Funktion haben wie das Stichwort selbst. Das heißt, manchmal mag es vertretbar sein, das Stichwort durch die anderen Wörter zu *ersetzen*. Der Sinn des ursprünglichen Textes wird dadurch nicht wesentlich verändert. In einem solchen Fall können wir wirklich von dem Wörterbucheintrag als einer „Definition" sprechen und sagen, die anderen Wörter seien (grob gesprochen) *Synonyme* des Stichwortes, sie „hätten (ungefähr) dieselbe Bedeutung". Doch wäre es ein Irrtum, daraus zu schließen, das Wörterbuch „enthalte" oder gar, es „gebe" Bedeutungen. Ein Wörterbuch enthält nur *weitere Wörter* und es „gibt Bedeutungen" nur in dem Sinne, daß diese anderen Wörter manchmal ein vertrauter und wohlverstandener, möglicher *Ersatz* für die fremden und verwirrenden Stichwörter sind, denen sie zugeordnet sind.

Doch manchmal sind einem Stichwort Wörter zugeordnet, die *nicht* im schriftlichen und mündlichen Gebrauch in etwa die gleiche Funktion übernehmen könnten wie das Stichwort selbst. Manchmal sind es Wörter, die diese Funktion *beschreiben* oder *Beispiele* für die Verwendung des Stichwortes geben:

> n i c h t : Ausdruck der Negation, Ablehnung, Verweigerung oder des Verbots: *Es ist nicht weit von hier. Du darfst das nicht tun.*

Und manchmal ist das Verhältnis zwischen den anderen Wörtern und dem Stichwort ziemlich kompliziert:

> g r ü n : die Farbe von frischem Blattwerk; sie liegt im Spektrum zwischen Gelb und Blau.

Hier beispielsweise werden zwei *Hinweise* gegeben, wo man eine *Probe* der Farbe Grün findet: Betrachten Sie frisches Blattwerk, oder schauen Sie im Spektrum zwischen Gelb und Blau nach. (Natürlich sollten Sie sich besser *grünes* Blattwerk ansehen. Manche Pflanzen haben *rote* Blätter, und die wären überhaupt keine Hilfe. Und außerdem sollten Sie sicherstellen, daß Sie ein *komplettes* Spektrum zur Verfügung haben – auch daß Sie es nicht durch eine getönte Scheibe betrachten.)

Die Herausgeber eines Wörterbuches entscheiden sich zwischen zwei Möglichkeiten, ein Stichwort zu erläutern. Wenn das Wort im täglichen Gebrauch geläufig ist, dann sammeln sie aus Romanen, Zeitschriften, Zeitungen, Rundfunk- und Fernsehmanuskripten und anderen Texten eine große Anzahl von *Stellen*, an denen das Wort vorkommt, und versuchen dann anhand dieser Stellen, zu bestimmen, wie das Wort *gemeinhin* gebraucht ist, welche Funktion oder Funktionen es in Wort und Schrift gewöhnlich übernimmt. Und sie verwenden dazu andere Wörter, die entweder ziemlich die gleiche Aufgabe *erfüllen* oder die diese Aufgabe *beschreiben* oder in irgendeiner anderen, unter Umständen nützlichen Weise zum Stichwort in Beziehung stehen (wie in dem Beispiel von ‚grün‘). Wenn das Wort dagegen ungebräuchlich, selten oder ein Fachterminus ist, wenn es zum Beispiel zum speziellen medizinischen oder biologischen Vokabular gehört, in die Fachsprache des Maschinenbaus, der Rechtswissenschaften ... oder eben der Philosophie, dann wird es nicht möglich sein, solch eine große Auswahl von Verwendungsweisen eines Wortes zusammenzustellen. In dem Fall verläßt sich der Lexikograph auf einen Stab von *Ratgebern*, die selbst akademische *Spezialisten* sind: Physiker, Biologen, Ingenieure, Richter ... oder Philosophen. Sie suchen und akzeptieren gewöhnlich *deren* Rat, welche anderen Wörter die wenig vertrauten Stichwörter erläutern sollen.

Daraus ergibt sich, daß ein Wörterbuch nicht die richtige Fundstelle ist, wenn Sie sich über ein Wort *philosophisch* im unklaren sind, unklar darüber, auf welche besondere Weise ein bestimmter Philosoph dieses Wort in einem Argumentationsabschnitt, den Sie beurteilen sollen, verwendet. Wenn der fragliche Terminus *vertraut* ist und nur, für spezielle dialektische Absichten, in einem eingeschränkten, neuen oder ungewöhnlichen Sinne eingesetzt ist, dann wird Ihnen die lexikalische Rekonstruktion der geläufigen und üblichen Funktion dieses Terminus, wie er sonst mündlich und schriftlich gebraucht wird, wahrscheinlich nicht viel nützen. Wenn aber das fragliche Wort ein *reiner* Fachterminus ist, dann wird Ihnen das Wörterbuch einfach das *Resultat* der Überlegungen *eines anderen Philosophen* anbieten, darüber, was der erste Philosoph, den Sie gerade lesen, gemeint hat. Und das ist ein Resultat, das unvermeidlich von den eigenen philosophischen Auffassungen und dem charakteristischen Vokabular des Ratgebers geprägt sein wird. Weder im einen noch im anderen Fall wird Ihnen Ihr Wörterbuch für den schwierigen Terminus „*die* Bedeutung liefern“, schon gar nicht „die *wahre* Bedeutung“.

Denn keiner dieser beratenden Spezialisten hat seinen eigenen Begriff davon, was zum Beispiel Aristoteles in der *Metaphysik* mit ‚Form‘ und ‚Materie‘ gemeint hat, dadurch gefunden, daß er ‚Form‘ und ‚Materie‘ in einem Wörterbuch nachgeschlagen hätte, sondern indem er die *Metaphysik studiert,* d. h., Aristoteles' Werk gelesen und versucht hat, aus dem, was Aristoteles *über* Form und Materie *gesagt* hat, zu entschlüsseln, was bei Aristoteles ‚Form' und ‚Materie' *bedeuten.* Und eben dies werden Sie natürlich in solchen Fällen auch tun müssen, denn am Ende liegt es doch bei Ihnen zu entscheiden, ob solch ein beratender Philosoph Aristoteles *richtig* verstanden hat.

Die Wörterbucheinträge können also bestenfalls dazu dienen, Sie mit einer *vorläufigen* Interpretation problematischer Termini zu versorgen. Da jedoch Wörterbücher nur von Menschen formulierte Wörter und nicht von Göttern eingegebene Bedeutungen enthalten, wird eine solche Interpretation höchstens ein Ausgangspunkt sein. Es wird allemal Ihnen selbst überlassen bleiben, diese Interpretation anhand des Textes zu überprüfen, das heißt zu beurteilen, ob die Argumente des Philosophen wirklich einen Sinn ergeben, wenn man sein Vokabular in der vorgegebenen Weise versteht. Und wenn das der Fall ist, dann haben Sie weiter zu beurteilen, ob sich die Argumente bei dieser Interpretation als zwingend erweisen. Ein Wörterbuch ist bestimmt nützlich; Sie sollten gewiß ein gutes besitzen. Aber es kann die harte Arbeit philosophischen Nachdenkens nicht ersetzen. Denn ein Wörterbuch kann Ihnen weder sagen, was ein Wort *„wirklich* bedeutet“, noch was ein bestimmter Philosoph *mit* diesem Wort in einem bestimmten dialektischen Zusammenhang gemeint hat (das heißt, wie er persönlich das Wort benutzt hat). Es kann Ihnen nicht die frühere – die „richtige“ oder „wahre“ – Bedeutung eines Wortes nennen, denn solch ein Fabelwesen gibt es gar nicht, das man erjagen könnte. Und was die speziellen Verwendungsweisen bei einem bestimmten Philosophen betrifft, hat das Wörterbuch keine *besondere* Autorität, denn schließlich haben die Wörterbuchhersteller keine anderen Quellen als Sie: die Werke eben jenes Philosophen und das fehlbare Urteil einer oder mehrerer Personen darüber, wie diese Werke am besten und richtig zu verstehen sind.

Wenn jemand Schwierigkeiten hat, die Struktur eines Wasserstoffatoms zu verstehen, dann mag es hilfreich sein, wenn man diese mit der Struktur des Sonnensystems vergleicht: der schwere Atomkern steht im Zentrum wie eine Sonne, umkreist von den vergleichsweise weniger schweren „Planeten", den Elektronen. Wenn ein Anthropologe Schwierigkeiten hat, die Bedeutung gewisser magischer Rituale einer primitiven Kultur zu beschreiben, mag er es nützlich finden, Parallelen zwischen diesen Ritualen und gewissen religiösen Riten zu ziehen, die in seiner eigenen Kultur zu finden sind. Mit anderen Worten, Denken in Analogien ist in den Natur- und Sozialwissenschaften und ebenso in der Philosophie ein verbreitetes Mittel zur Förderung des Verständnisses sowie der wechselseitigen Verständigung. Und so ist es angebracht, eine kleine Warnung auszusprechen: Es darf (oder sollte) nicht alles, was ein Philosoph beim Erklären und Verteidigen seines Standpunktes sagt, wörtlich genommen werden.

Natürlich sagen Philosophen manchmal ganz ausdrücklich, worauf ihre Analogien abzielen. Im *Staat* wendet sich Platon beispielsweise von einer Untersuchung der Frage „Was macht einen gerechten *Menschen* aus?", das heißt, „Worin besteht Gerechtigkeit, dieser wünschenswerte Charakterzug eines tugendhaften Individuums?", zur Betrachtung der Frage, „Was konstituiert eine gerechte *Gesellschaft*?", das heißt, „Worin besteht Gerechtigkeit, dieser wünschenswerte Zustand der griechischen *Polis* (des Stadtstaates)?" Er nennt uns den Grund dafür: Polis, das ist „die Seele im Großen". Das heißt natürlich nicht, daß der Staat eine gigantische Seele *sei* oder die menschliche Seele ein Miniaturstaat, sondern daß es da wichtige *Analogien* gibt – dialektische Ähnlichkeiten – zwischen der Seele des Einzelnen und der politischen Gemeinschaft, Ähnlichkeiten, die sich für eine philosophische Untersuchung dessen, was zum moralischchen Charakter eines tugendhaften Menschen beiträgt, nutzen lassen.

Von jeher ist es für das philosophische Denken kennzeichnend gewesen, ausdrücklich solche Analogien zu bilden. Wir finden sie zum Beispiel in Lockes Beschreibung des menschlichen Geistes als einer „tabula rasa", einer „leeren Tafel", auf die „die Erfahrung ihren Bericht schreibt". Wir finden sie in Rousseaus Vergleich der Gründung bürgerlicher Gesellschaft mit dem Unterzeichnen eines „contrat social", worin jedes Mitglied sich bereit erklärt, gewisse individuelle Freiheiten im Interesse des höherstehenden Allgemeinwohls aufzugeben. Und wir finden sie heute zum Beispiel bei Thomas Kuhn, wenn er größere Veränderungen in den Theorien der Naturwissenschaften als „Revolutionen" charakterisiert oder auch im Vergleich menschlicher kognitiver Prozesse mit der Arbeitsweise eines Digitalcomputers, eine Analogie, die zu einem Gemeinplatz in der neueren Philosophie des Geistes geworden ist. In jedem Fall besteht die ausdrückliche Intention nicht darin, eine Sache mit einer anderen zu *identifizieren*, sondern vielmehr darin, gewisse *Ähnlichkeiten* zwischen der einen und der anderen Sache hervorzuheben, Ähnlichkeiten, die – wenn man sie anerkennt – bedeutsame *philosophische* Thesen in Bezug auf den Gegenstand des analogischen Vergleichs implizieren (zum Beispiel: daß es kein „angeborenes Wissen" gibt; daß das Aufgeben persönlicher Rechte in einer politischen Gemeinschaft nicht zwangsweise geschieht; daß „wissenschaftlicher Fortschritt" zum Teil von „irrationalen" soziokulturellen Faktoren bestimmt wird; oder daß wir keine besonderen, nicht sinnlich wahrnehmbaren Entitäten einzuführen brauchen – einen Geist oder eine Seele – um unsere eigenen kognitiven Fähigkeiten zu erklären).

Doch spielt das Denken in Analogien oft eine subtilere Rolle in der philosophischen Theorienbildung. Manchmal ist eine bestimmte dialektische Ähnlichkeit nicht explizit formuliert, um eine wichtige philosophische These zu etablieren, sondern wird bei der *Beschreibung* irgendeines Phänomens, das als Ausgangspunkt für weitere philosophische Diskussionen dient, einfach *als erwiesen angenommen*. Ein Philosoph, der beispielsweise dabei ist, eine Theorie über Empfindungen aufzustellen, mag von der *Annahme* ausgehen, daß der Satz

(1)   Tom fühlte einen heftigen Schmerz in seinem Fuß.

analog zu verstehen ist zu:

(2)   Ellen sah eine rote Tasse auf dem Tisch.

Die sich daraus ergebende Diskussion wird dann wahrscheinlich einige seltsame Wendungen nehmen, Wendungen, die mehr oder weniger durch die stillschweigend vorausgesetzte Analogie „vorherbestimmt" sind. Man wird sich Gedanken über die „Privatheit" von Schmerz machen. (Ellen und Elise können offenbar beide *dieselbe* rote Tasse sehen. Können Tom und Timon beide *denselben* heftigen Schmerz fühlen?) Man wird sich Gedanken machen, wie man Schmerzen *zählt*. (Es ist ein Unterschied, ob Ellen eine rote Tasse bei zwei verschiedenen Gelegenheiten sieht oder ob sie zwei genau gleiche rote Tassen sieht. Besteht ein Unterschied, ob Tom zweimal den einen heftigen Schmerz fühlt oder ob er zwei genau gleiche heftige Schmerzen fühlt?) Und man wird sich über die Lokalisierbarkeit von Schmerz Gedanken machen. (Wenn der Tisch in der Küche ist, dann wird Ellen, wenn sie eine Tasse auf dem Tisch sieht, eine Tasse in der Küche sehen. Doch selbst wenn Toms Fuß in einem Schuh steckt, wird Tom, wenn er einen Schmerz in seinem Fuß fühlt, doch *keinen* Schmerz in seinem Schuh fühlen. Warum nicht?)

Ob jedoch eine Analogie ausdrücklich gezogen oder stillschweigend angenommen wird, macht für Sie keinen Unterschied, wenn Sie daran gehen, die Beweiskraft und Triftigkeit einer Analogie kritisch zu bewerten. Erstens müssen Sie fragen, welche *Punkte* in der Analogie – welche Ähnlichkeiten oder Gleichheiten – der Philosoph in seiner Theorie nutzen möchte; zweitens, ob diese Ähnlichkeiten oder Gleichheiten tatsächlich *bestehen*; und drittens, ob in irgendwelchen Punkten signifikante *Dis*analogien vorhanden sind, die die Schlagkraft des intendierten oder vorausgesetzten Vergleichs beeinträchtigen. Und es wird in solchen Fällen oft nützlich sein, wenn man versucht, selbst einen Vergleich anzubieten – eine *alternative* Analogie, die die *Un*ähnlichkeit zwischen den beiden Phänomenen beleuchtet, welche der Philosoph, dessen Werk Sie beurteilen, so einander anzugleichen sucht, daß sie in ein und dasselbe dialektische Muster passen.

Sie können zum Beispiel Rousseaus explizite Analogie zwischen Bürgerpflichten und vertraglichen Verpflichtungen in puncto *Freiwilligkeit* kritisieren, indem Sie darauf hinweisen, daß Vertragspartner sich freiwillig und in vollem Bewußtsein verpflichten, wärend man doch in die eine oder andere bürgerliche Gesellschaft einfach *hineingeboren* wird. Und Sie könnten die stillschweigend unterstellte Analogie zwischen dem Fühlen von Schmerz und dem Sehen einer Tasse durch den Hinweis kritisieren, daß in dem mutmaßlichen *Vergleichspunkt* – „Fühlen" sei wie „Sehen" eine *Beziehung* zwischen einer Person und etwas anderem, irgendeinem von ihr unabhängigen „Objekt" – gar keine Analogie besteht. Statt also Satz (1) nach dem Modell von Satz (2) zu verstehen, können wir versuchen, ihn aus der Analogie mit (3) zu begreifen:

(3)   Margaretes Gesicht zeigte ein freundliches Lächeln.

Und da (3) nur ein umständlicher Ausdruck ist für:

(3*)   Margarete lächelte freundlich.

können wir schließen, daß (1) weniger auf eine Beziehung zwischen Tom und einem „privaten Objekt" verweist, als vielmehr ein umständlicher Ausdruck ist für so etwas wie:

(1*)   Toms Fuß schmerzte heftig.

Die Rolle von Science-fiction in der Philosophie

Die letzte Eigenart philosophischer Schriften, der ich mich in diesem Kapitel zuwenden möchte, ist das von Philosophen häufig gebrauchte *Gedankenexperiment*, nämlich die Beschreibung ausgedachter – nicht wirklicher – Situationen. Auf derartige Gedankenexperimente zurückzugreifen dient in philosophischen Werken vielfältigen Zwecken, und auch wir sind bei der Besprechung von Gültigkeit und Ungültigkeit bereits einigen begegnet.

Bei der Anwendung der Methode des Modellebildens müssen wir zum Beispiel, um die Ungültigkeit einer Argumentform zu zeigen, ein Argument *derselben* Form finden, das sowohl wahre Prämissen als auch eine falsche Konklusion besitzt. Nun, manchmal haben wir Glück. Manchmal fällt uns ein Argument ein, das die Form hat, die wir brauchen, dessen Prämissen wahr *sind* und dessen Konklusion falsch *ist*. Manchmal haben wir aber kein Glück, und dann brauchen wir eben ein Gedankenexperiment: Wir erfinden eine Situation, die es in Wirklichkeit *nicht* gibt und zu der sich ein Argument der gewünschten Form bilden läßt, dessen Prämissen wahr *wären* und dessen Konklusion falsch *wäre*, wenn es diese Situation *wirklich gäbe*.

Erinnern Sie sich zum Beispiel an meinen Hund Spot (der, wenn er eine Katze wäre, vier Beine und einen Schwanz hätte und der *tatsächlich* vier Beine und einen Schwanz hat – aber *keine* Katze ist). Nun, die Wahrheit ist, daß ich keinen Hund namens ‚Spot‘ habe. Ich habe überhaupt keinen Hund. Mit anderen Worten, ich habe die Situation nur beschrieben, um Ihnen ein paar wahre Prämissen vorzuführen („Wenn Spot eine Katze ist, dann hat er vier Beine und einen Schwanz" und „Spot hat vier Beine und einen Schwanz") und eine falsche Konklusion („Spot ist eine Katze"); es war eine Situation, die nicht wirklich existiert. Mein Gegenbeispiel war ein Gedankenexperiment. Aber es erfüllte ebensogut seinen Zweck. Da eine Argumentform nur dann gültig ist, wenn, bei wahren Prämissen, ihre Konklusion wahr sein *muß*, braucht man nur an einem anderen Argument zu zeigen, daß es *möglich* ist, sowohl die gleiche Form als auch wahre Prämissen und dennoch eine *falsche* Konklusion zu haben, um ein Argument als ungültig zu erweisen.

Und das erhellt im Grunde die charakteristische Rolle solcher Phantasieübungen in der philosophischen Literatur. Der Zweck eines Gedankenexperiments liegt darin zu zeigen, daß möglich ist. Bezeichnenderweise interessieren sich Philosophen nicht für praktische oder technische Möglichkeiten (zum Beispiel, ob es heute wirklich praktisch oder technisch möglich wäre, den Mond zu besiedeln), sondern eher für das, was man „logische Möglichkeit" nennt. Eine Situation ist dann *logisch* möglich, wenn man sie ohne logische Absurdität darstellen kann, das heißt, ohne sich zu widersprechen. Und Philosophen sind ihrerseits an logischer Möglichkeit interessiert, weil die Bestimmung, ob eine Situation logisch möglich ist, oft für die Bestimmung entscheidend ist, ob ein *anderer* Sachverhalt *notwendig* besteht oder nicht, beziehungsweise für den Beweis, daß eine problematische philosophische These nun tatsächlich *wahr* oder nicht wahr ist.

Polizeibehörden benutzen zum Beispiel Fingerabdrücke, um die Identität verhafteter Personen zu bestimmen. Wenn die Fingerabdrücke eines gefaßten Verdächtigen mit denen eines gesuchten Verbrechers übereinstimmen, dann schlußfolgern Polizei und Gerichte regelmäßig, daß der verhaftete Verdächtige wirklich der gesuchte Verbrecher *sei*. Ein Philosoph, der sich für die Frage interessiert, was für die Bestimmung der Identität einer Person *notwendig* ist, wird jedoch zeigen, daß das Prinzip: „Gleichheit der Fingerabdrücke impliziert Identität der Personen" *keine* notwendige Wahrheit ist, da wir uns leicht eine Situation vorstellen und sie beschreiben können, in der zwei Personen mit denselben Fingerabdrücken geboren sind oder in der ein geschickter Chirurg eine Technik, Fingerabdrücke zu verändern, entwickelt. Mit anderen Worten, es ist *logisch* möglich, daß zwei Personen identische Fingerabdrücke haben oder daß eine Person zu verschiedenen Zeiten verschiedene Fingerabdrücke hat (obwohl, soweit wir wissen, heute keine dieser Situationen *tatsächlich* besteht).

Besonders interessant werden solche Gedankenexperimente dann, wenn es um eine wirklich bedeutsame philosophische These geht und die ausgedachte Situation, die beschrieben wird, vergleichsweise kompliziert ist. Ein Philosoph mag zum Beispiel versuchen, uns davon zu überzeugen, daß Geist und Körper *getrennte* Entitäten sind, indem er vorschlägt, uns vorzustellen, daß „zwei Menschen ihre Körper *austauschen*".

Bestimmt haben Sie das schon im Fernsehen gesehen. Zwei Leute, sagen wir Jack und Jill, sitzen auf Stühlen rechts und links von einem komplizierten elektronischen Apparat. Metallhelme senken sich auf ihre Köpfe. Die Höllenmaschine blitzt, brummt, faucht und sprüht Funken. Jack und Jill fallen plötzlich bewußtlos nach vorn. Nach einer kurzen Pause steht die Person, die wie Jack *aussieht* auf (nennen wir sie ‚John') und behauptet Jill zu *sein*, und die Person, die wie Jill *aussieht* (nennen wir sie ‚Judy') steht auf und behauptet Jack zu *sein*. Und mehr noch, John spricht und handelt jetzt so, wie Jill zu sprechen und handeln pflegte, und ebenso verhält Judy sich jetzt so, wie Jack sich vorher verhielt. Dies Gedankenexperiment zeigt, so schließt unser Philosoph, daß es für zwei Personen *logisch möglich* ist, ihre Körper auszutauschen. Folglich kann eine Person nicht mit ihrem Körper identifiziert werden, sondern sie muß vielmehr *Geist* sein, etwas vom Körper Verschiedenes, das im Prinzip von einem Körper auf einen anderen *übertragen* werden kann.

Es ist ziemlich schwierig, philosophische Folgerungen, die auf derart dramatischen Gedankenexperimenten beruhen, kritisch zu beurteilen. Doch muß man vor allen Dingen im Auge behalten, daß das, worum es hier geht, nichts mit dem *Vorstellungsvermögen* von irgend jemandem zu tun hat. Sie erinnern sich doch noch: Ein Sachverhalt ist logisch möglich, nur wenn er konsistent, das heißt ohne Widersprüchlichkeit oder logische Absurdität beschrieben werden kann. Natürlich können wir uns ohne Schwierigkeiten unter dem Fall von Jack und Jill irgend etwas *vorstellen*. Entscheidend für die Folgerungen unseres Philosophen ist jedoch, wie das, was wir uns ohne Schwierigkeiten vorstellen, korrekt *beschrieben* werden sollte. Mit anderen Worten, wir müssen uns ansehen, was unser Philosoph über das *sagt* (oder einfach als gegeben annimmt), was wir uns bildhaft vorstellen sollen.

Im vorliegenden Fall ist ganz klar, was behauptet wird. Unser Philosoph will sagen: Nach der Einwirkung des Apparates *ist* Jill John und *ist* Jack Judy. Und nun könnten Sie fragen: Welches Kriterium wird hier angewandt, um Jack und Jill zu *identifizieren*? Das heißt, wie bestimmt man nach dem Experiment, wer wer ist? Klar, daß beispielsweise Fingerabdrücke *nicht* das Kriterium sind. Doch was ist es sonst?

Nun, muß es nicht Johns und Judys *Verhalten* sein, wonach man urteilt, danach, wie sie handeln und was sie über sich sagen? Doch jetzt können Sie einwenden, daß uns das nur anzeigt, wer sie zu sein *glauben*. Ein Irrer mag zum Beispiel *sagen*, er sei Napoleon. Er kann sich auch wie Napoleon *verhalten*. Doch deshalb *ist* er noch lange nicht Napoleon. Und dementsprechend, können Sie fortfahren, beweisen Johns Behauptungen und Verhalten noch lange nicht, daß er Jill *ist* (auch wenn er das sagt) und was Judy behauptet und tut, beweist nicht, daß sie Jack *ist* (obgleich sie das sagt).

Anders ausgedrückt, Sie können ein solches Gedankenexperiment kritisieren, indem Sie eine *andere Beschreibung* davon geben. Wir haben uns nicht vorgestellt, es gäbe einen Apparat, der „Jack in Jills Körper versetzt und Jill in Jacks Körper". Wir haben uns einen Apparat ausgedacht, der zwei Menschen gleichzeitig mit einer bestimmten *Krankheit* infiziert (sagen wir mit einer „akuten Identitätstäuschungspsychose") – ein Apparat, der Jack und Jill irre gemacht hat, so daß Jack jetzt glaubt, er sei Jill und Jill jetzt glaubt, sie sei Jack.

So eine alternative Beschreibung „entschärft" ein Gedankenexperiment, denn sie zeigt, daß die Phantasieübung mit ihren lebendigen Bildern *für sich allein* die intendierte philosophische Konklusion nicht trägt (zum Beispiel die über Geist und Körper), sondern nur, wenn man gewisse zusätzliche Prämissen *als erwiesen annimmt* (zum Beispiel darüber, wie man feststellt, wer wer ist) – Prämissen, auf die Sie in kritischer Diskussion dann genauso *argumentativ* eingehen können wie auf die Prämissen in irgendeinem anderen, weniger pittoresken Stück philosophischer Schriftstellerei.

Zweite Zwischenbilanz

Wieder sind wir an einem Punkt angelangt, an dem wir inne-
halten und unsere Ergebnisse zusammenfassen sollten.

In den vorigen drei Kapiteln haben wir eine Grundform des
philosophischen Essays behandelt, die kritische Prüfung einer
Ansicht. Natürlich gibt es noch andere Formen, die ich auch
nicht vernachlässigen will, doch die kritische Prüfung einer Ansicht ist in dem Sinne die *fundamentale* Form, daß sie definiert,
welche Art von Prüfung *jede* philosophische Unternehmung
letztlich bestehen muß. Philosophische Kritik steckt sozusagen
die Grenzen des Spielfeldes ab und stellt die Hauptspielregeln
auf. Da es philosophische Ansichten nun einmal kennzeichnet,
systematisch und dialektisch zu sein, ist der einzige Maßstab,
den wir *letztlich* anlegen können, wenn es darum geht zu beurteilen, ob irgendeine konstruktive oder *kritische* philosophische
These akzeptabel ist – Ihre eigene miteingeschlossen! – die Frage,
ob sie einer solchen kritischen Prüfung *standhalten* kann.

In diesen Kapiteln haben wir viel Zeit darauf verwandt, den
Begriff der „internen Kohärenz", der das Kernstück jeder dialektischen Kritik bildet, im einzelnen zu untersuchen. Wir haben
gesehen, wie groß ihre Reichweite ist: vom relativ einfachen,
obgleich seltenen Fall, daß ein expliziter Selbstwiderspruch auf-
gedeckt wird, bis hin zu den subtileren, aber vergleichsweise
häufigeren Fällen, in denen allgemeine Regeln vernünftigen
Denkens verletzt werden. Diese Regelverletzungen veranlaßten
dann, was gewöhnlich als „philosophische" Kritik im eigentlichen Sinne angesehen wird. Fünf Formen solcher Kritik haben
wir im Detail vorgeführt und untersucht: Äquivokation, petitio
principii, infiniten Regreß, verlorenen Gegensatz und leere Behauptung. Zwar sind dies keineswegs die *einzigen* Holzwege,
auf die eine philosophische Argumentation unversehens geraten

kann; doch sind sie, wie unsere einfacheren ungültigen „Frosch"-Muster in einem früheren Kapitel, als Irrwege so verbreitet, daß Sie sie beim Lesen *und* bei Ihren eigenen schriftlichen Arbeiten im Auge behalten sollten, wann immer ein Argument zu einer Konklusion gelangt, von der Sie den begründeten Verdacht haben, daß sie nicht ganz in Ordnung ist.

Um aus einem philosophischen Text das Argument zu *extrahieren*, bedarf es, wie wir festgestellt haben, manchmal beträchtlicher Interpretationsfertigkeit, denn philosophische Essays sind auch *literarische* Werke, in denen zuweilen ungewöhnliche Wörter auftauchen, zuweilen gebräuchliche eine ungewöhnliche Aufgabe übernehmen und rhetorische Stilmittel in den Dienst von Darstellung und Argumentation gestellt werden. Obwohl es letztlich keinen Ersatz für *Übung* gibt, wenn man die Kunst beherrschen will, ein Stück Philosophie zu kritisieren, habe ich doch im vorigen Kapitel ein paar Tips zu geben versucht, wie man mit Bedeutungsfragen umgeht, wenn sie in einer philosophischen Untersuchung auftauchen, und wie man die Verwendung von Analogien und Gedankenexperimenten erkennt, einschätzt und auch kritisiert, wenn man einen philosophischen Fall verhandelt.

Das alles war vielleicht ein zu großer Brocken an Stoff, als daß Sie ihn auf einen Sitz schlucken könnten. Allerdings werden Sie es wahrscheinlich überhaupt nicht schaffen, sich diesen Stoff anzueignen, wenn Sie nicht immer wieder versuchen, die aus ihm gewonnenen Kenntnisse beim Verfassen Ihrer eigenen kritischen Untersuchungen über Argumente und Ansichten eines Philosophen *in die Praxis umzusetzen*. Doch haben Sie es erst einmal geschafft, dann werden Sie alle Voraussetzungen besitzen, nicht nur um philosophisches Denken, wie es von anderen praktiziert wird, zu begreifen, sondern auch, um dieses Verständnis in Ihrem eigenen philosophischen Denken und Schreiben zu *praktizieren*. Deshalb sollten wir uns als nächstes ein paar kompliziertere diskursive Strukturen ansehen, die sich aus den bislang betrachteten strategischen Themen entwickeln lassen. Ich meine solche umfassenderen Argumentationsmuster, in die die kritische Prüfung einer Ansicht *selbst* noch einmal eingebettet sein kann. So will ich diese zweite Zwischenbilanz schließen und den Vorhang aufziehen für unseren nächsten Akt: die Diskussion einiger *weiterer* Arten philosophischer Essays, denen Sie wahrscheinlich begegnen werden und die zu schreiben Sie selbst aufgefordert sein werden.

8. Philosophische Essays

Wie man einen philosophischen Streit entscheidet

Am einfachsten gestaltet sich die kritische Prüfung einer Ansicht in der Form eines *urteilenden* oder *richtenden* Essays. Hier fungiert der Essayschreiber als Schiedsrichter in einem philosophischen Streit und versucht, zu einer Bewertung der Stärken und Schwächen der konkurrierenden Positionen zu gelangen. Zweckmäßig gliedert man einen solchen Essay in sechs Teile:

1. Formulierung des Problems
2. Darstellung der 1. Position
3. Bewertung der 1. Position
4. Darstellung der 2. Position
5. Bewertung der 2. Position
6. Entscheidung

Die Anordnung der einzelnen Schritte ist jedoch nicht zwingend. Oft wird man es günstiger finden, in der Reihenfolge 1-2-4-3-5-6 vorzugehen oder im mittleren Teil des Essays eine „Pendelstrategie" zu verfolgen, indem man von einer zur anderen Position wechselt, bis beide Positionen Stück für Stück dargestellt und untersucht sind. Sehen wir uns diese sechs Elemente eines urteilenden oder richtenden Essays einzeln an.

1. Die Problemformulierung stellt oft hohe Anforderungen an unsere Interpretationsfertigkeit. Äußerliche terminologische oder stilistische Eigenheiten verschleiern oft Meinungsverschiedenheiten oder verdunkeln mögliche Übereinstimmungen zwischen den Kontrahenten. Und es bedarf einer sorgfältigen und gründlichen Lektüre beider Texte, um aus den textimmanenten Anhaltspunkten, wie sie sich aus den einzelnen Argumentations-

schritten ergeben, zu entscheiden, ob die Schlüsselbegriffe von beiden Parteien gleich verstanden und gebraucht werden. Noch einmal: Die dialektische Methode in der Philosophie hat zur Folge, daß die *sichtbaren* Diskussionsthemen oft nur indirekt auf das eigentlich strittige *Hauptproblem* bezogen sind. Denken Sie daran: Auch wenn der Krieg unter Philosophen um zentrale Thesen geführt wird, können die Schlachten in einiger Entfernung vom Mittelpunkt um stützende Prämissen geschlagen werden. Es ist strategisch günstig, das Problem als Frage zu formulieren, auf die die Kontrahenten unterschiedliche Antworten geben oder geben würden. Die Frage sollte so gestellt sein, daß sie beim Lesen der kontroversen Texte als Wegweiser dienen kann. Dann sieht man jeden Text aus der Perspektive seiner Überlegungen zu dieser Frage, so als argumentiere er für eine bestimmte Antwort auf sie.

2. und 4. Die Darstellung der zwei Positionen sollte sich dann an dem Problem, so wie Sie es formuliert haben, orientieren. Die Aufgabe besteht darin, die beiden Argumentationsstrukturen, die jeweils eine Ansicht zu dem strittigen Problem stützen, so zu präsentieren, daß man sehen kann, wie die Überlegungen, die beide Parteien zur Untermauerung ihrer eigenen Ansichten vorbringen, auf das Problem bezogen sind. Meistens wird man dazu eine Argumentation rückwärts *rekonstruieren* müssen, um die Verbindung zwischen dem philosophischen Problem, das den Ausgangspunkt bildet, und den philosophischen Überlegungen, die dazu vorgetragen werden, klar erkennen zu können. Und diese Aufgabe ist zusätzlich dadurch erschwert, daß die zwei Argumentationsstränge so dargelegt werden müssen, daß sie *miteinander* in Kontakt kommen.

3. und 5. Die letzte Bemerkung bezeichnet auch eine Hauptschwierigkeit, wenn es darum geht, die zwei Positionen zu bewerten. Im urteilenden oder richtenden Essay soll die Angemessenheit einer jeden Position vom Standpunkt der jeweils *anderen* Position aus bewertet werden. Am einfachsten ist es, wenn einer der beiden Texte eine direkte kritische Auseinandersetzung mit den Ansichten und Argumenten des anderen Textes

ist. Dann weiß man, was die *eine* der beiden Parteien zur Stützung ihrer Ansichten auf die vom Gegner vorgebrachten Überlegungen zu sagen hat. Doch besteht weiter die Aufgabe, ausfindig zu machen, womit jener Gegner seine Ansichten verteidigen und die Kritik der ersten Partei beantworten *würde*. (Leider können zwei philosophische Texte nicht zugleich Antworten auf einander sein.) Dazu muß sich ein möglicher Schiedsrichter in Gedanken in die Rolle des anderen Philosophen versetzen, dazu muß man sich in den systematischen Standpunkt hineindenken, von dem der Text ausgeht, und muß versuchen, die argumentativen Möglichkeiten dieses Standpunktes zur Basis einer kritischen Beurteilung zu machen. Und das erfordert ein gewisses Einfühlungsvermögen. Es erfordert, einen Text sowohl auf seine Stärken als auch auf seine Schwächen hin zu lesen und jeder der widerstreitenden Parteien ihre *größtmögliche* Stärke zuzugestehen. Nur so wird die spätere Entscheidung sowohl das erfassen, was an den beiden Positionen erhaltenswert ist, als auch was fallen gelassen werden sollte. Nur so kommt man möglicherweise in der Klärung wirklich substanzieller Fragen voran und besiegt nicht nur Scheingegner.

6. Nur selten wird die Entscheidung schließlich zu dem Urteil führen, daß die eine oder die andere der widerstreitenden Positionen völlig richtig ist. Häufiger wird es zu einer sorgfältigen Verflechtung komplementärer Einsichten kommen, unter Umständen ergänzt durch manche eigene Einsicht. Bei einer gründlichen kritischen Untersuchung widerstreitender Positionen entdeckt man oft, daß der zu Beginn formulierten Frage eine komplizierte Voraussetzungsstruktur zugrundeliegt. Sie kann sich zu einem ganzen Komplex von Einzelproblemen entfalten, die zum Teil von der einen Partei erfolgreicher behandelt werden, zum Teil von der anderen. Oft ist es am nützlichsten, eine Reihe von Unterscheidungen zu treffen und sie anzuwenden, zum Beispiel Unterscheidungen zwischen verschiedenen Arten, einen Text zu lesen, zwischen verschiedenen Bedeutungen, die sich einem Terminus zuschreiben lassen, zwischen verschiedenen Interpretationen für ein Faktum, ein Argument, eine Bemerkung. Und so

ist es häufig möglich, auf begriffliche Fallgruben aufmerksam zu machen – manche falschen Wege zu kennzeichnen, die jemand zur Beantwortung einer Frage eingeschlagen hat oder die er spontan einschlagen könnte – wobei solche Einsichten sich selbst da gewinnen lassen, wo keine bestimmte Antwort eindeutig zu verteidigen ist. Und oft ist das nicht weniger wertvoll, als wenn man ein positives Ergebnis erzielt.

Der gut aufgebaute urteilende oder richtende Essay stellt also wesentlich größere Anforderungen als die kritische Prüfung nur einer Ansicht. Wie die kritische Prüfung, verlangt auch er, daß man die Technik der Dialektik beherrscht, doch zusätzlich muß man versuchen, mindestens für den einen Part der Diskussion einen philosophischen Standpunkt einzunehmen, in dem man sich nicht zuhause fühlt. Und das erfordert ein höheres Maß an wohlwollender Auslegung und philosophischer Phantasie, als gewöhnlich bei der rein kritischen Aufgabe gefragt ist. So führt der urteilende oder richtende Essay einen Schritt weg von dem Eindruck, die Praxis des Philosophierens sei etwas extrem Negativistisches, denn hier wird von den Studenten verlangt, jede der beiden philosophischen Positionen so weit zu verstehen, daß sie sowohl ihre Stärken als auch ihre Schwächen einschätzen können. Er verlangt von ihnen, sich wenigstens für einen Augenblick zu Anwälten einer Ansicht zu machen, die nicht ihre eigene ist. Wenn Studenten anfangen zu begreifen, welchen Spielraum für solche philosophischen Verteidigungen es gibt, dann haben sie einen großen Schritt zur Entwicklung einer eigenen, kohärenten philosophischen Weltanschauung getan, und sie sind auf dem besten Wege, ihre Anschauung zukünftig klar ausdrücken und erfolgreich verfechten zu können.

9. Philosophische Essays

Wie man ein Problem löst

Unser dritter Typ eines philosophischen Essays ist, wie der zweite, problemorientiert. Doch beruht die Lösung eines Problems viel stärker auf Selbständigkeit und kreativer Einsicht als auf Auslegungs- und Interpretationsfertigkeiten. Philosophische Problemstellungen reichen von klassischen Fragen, die in einem Jahrtausende währenden Prozeß dialektischer Differenzierung aufgefächert worden sind, bis hin zu kleinen Versatzstücken, die einzig zu Übungs- und Illustrationszwecken konstruiert worden sind. Ein Essay, der einem klassischen Thema gewidmet ist, dürfte heute ein ziemlich dickes Buch ausmachen, während eine Seminaraufgabe oft auf wenigen Seiten erledigt werden kann. Für beide Fälle läßt sich jedoch eine bestimmte Struktur angeben, die ich – Sie wissen es schon – jetzt besprechen will.

Der Essay, dessen Aufgabe die Lösung eines Problems ist, läßt sich wie der urteilende oder richtende Essay sinnvollerweise in sechs Teile gliedern:

1. Formulierung und Analyse des Problems
2. Entwicklung von Kriterien für eine adäquate Lösung
(3. Untersuchung möglicher, aber inadäquater Lösungen)
4. Entfaltung der vorgeschlagenen Lösung
5. Prüfung der Adäquatheit der vorgeschlagenen Lösung
(6. Antworten auf erwartbare Kritik)

Auch hier sollten Sie nicht meinen, diese Gliederung sei für immer und ewig in Granit gemeißelt. Die Klammern bei 3. und 6. sollen andeuten, daß es sich dabei um Teile handelt, die nicht obligatorisch sind. Auch was ich in 1. und 2. zerlegt habe, wird oft zu einem Abschnitt oder zu einer fortlaufenden Reihe von Abschnitten zusammengefaßt. Es sind auch noch andere Abwandlungen möglich. Allerdings weist die oben entworfene sechsteilige Struktur einen gangbaren Weg, einen Essay zur Problemlösung aufzubauen und zu durchdenken. Und als Anfänger in der Philosophie sind Sie sicher gut beraten, die genannte Gliederung wenigstens so lange im Gedächtnis zu behalten, bis Sie einige Übung im Umgang mit dieser Form des philosophischen Essays gewonnen haben.

Ich will die einzelnen Punkte dieses nackten Schemas nicht in abstrakter Form diskutieren, sondern ich will versuchen, an einem konkreten Beispiel zu zeigen, wie es funktioniert. Hier haben Sie als Beispiel solch ein begrenztes Problem, wie es als Hausarbeit in einer philosophischen Einführungsveranstaltung gestellt werden könnte. (Tatsächlich habe ich es in dieser Weise benutzt, und, ehrlich gesagt, ich trenne mich gar nicht gerne davon. Aber es dient einem guten Zweck.)

Astronomen sagen, Licht brauche vier Jahre, um vom nächstgelegenen Stern bis zu uns zu gelangen. Doch in diesen vier Jahren könnte der Stern aufgehört haben zu existieren, und wir können nichts sehen, was nicht existiert. Sehen wir also jemals einen Stern?

Wir wollen dies Problem Schritt für Schritt nach dem sechsteiligen Schema durcharbeiten. Ich werde mich bemühen, es schön langsam anzugehen, damit Sie, wie ich hoffe, dem Gedankengang folgen können, dessen Resultat die Lösung sein wird, die es für dies Problem gibt.

Doch bevor ich anfange, möchte ich kurz eine Frage ansprechen, die Sie sich vielleicht gestellt haben, als Sie das Problem lasen: Wozu sich den Kopf zerbrechen? Wen kümmert's, ob wir jemals einen Stern sehen? Sie werden sich erinnern, daß ich zu Beginn dieses Buches von einem Gefühl der Befreiung und der Freude gesprochen habe, das sich beim Philosophieren einstellen kann. Aber was hat *dies* Problem hier mit Befreiung und Freude zu tun?

Für sich genommen, leider nicht viel. Schließlich befaßt sich unser Handbuch hauptsächlich mit Methode. Und die Probleme, die man aus pädagogischen Erwägungen heranzieht, um mit ihrer Hilfe bestimmte methodische Punkte gut zu beleuchten, sind meist nicht besonders spannend. Spannend sind die komplizierteren Probleme, doch da würden die methodischen Punkte leicht zwischen den Schwierigkeiten untergehen. So gibt es eben gute pädagogische Gründe, ein Problem vom Typ „Wen kümmert's?" als Anschauungsmaterial heranzuziehen.

Noch etwas muß gesagt werden. Spannung ist keine Eigenschaft einer Sache wie Farbe, Größe oder Form. Ob etwas spannend ist oder nicht, hängt davon ab, was Sie damit anfangen können, ob Sie andere Dinge damit verbinden, die Ihnen wichtig sind. Ein Fuß- oder Fingerabdruck oder eine Zigarettenkippe sind für sich genommen nicht besonders interessant, aber wenn es sich dabei um ein Indiz handelt, das den Mörder überführt, dann kann die Entdeckung eines Fußabdruckes oder eines ansonsten noch so trivialen Dinges sehr interessant sein. Nun, wenn Sie im philosophischen Spiel noch unerfahren sind, dann werden Sie wahrscheinlich mit unserem kleinen Problem nicht viel verbinden. Es steht einfach da, nichts weiter als eine Übung in einem Lehrbuch. Gut, ich verstehe Sie, und ich kann das nachempfinden. Aber hier kann ich nicht viel daran ändern.

Doch angenommen, Sie wollten sich einen umfassenden und kohärenten Überblick über Wesen und Grenzen menschlichen Wissens verschaffen; das wäre bestimmt ein spannendes Unternehmen. Eine der wichtigsten Regionen, die Sie dann kartographieren müßten, wäre das Territorium „Wahrnehmung", ein Territorium, das Sehen und Hören, Fühlen, Riechen und Schmecken umfaßt. Viele Wege kreuzen sich und durchziehen dies Gelände. Manche davon sind die holperigen, alten, ausgetretenen, ungepflasterten Pfade, die ich früher „Common sense" genannt habe. Andere jedoch sind neue, saubere, ordentlich asphaltierte Bahnen, gebaut von den Spezialwissenschaften wie der Neuroanatomie, der physiologischen Psychologie, der Biophysik und anderen mehr. Manchmal kreuzen sich die Wege ungehindert, es gibt eine Überführung oder Unterführung, oder sie verlaufen parallel nebeneinander. Doch manchmal treffen sie aufeinander oder enden in einer Sackgasse. Und wenn das geschieht, dann kommen Sie auf Ihrem Weg nicht weiter, an dessen Ende dies freudige und befreiende kohärente Verständnis menschlichen Wissens im allgemeinen, genauer von der Wahrnehmung im besonderen und speziell vom Sehen stehen sollte. Sie haben erst mal ein Problem zu lösen oder einen Begriffsknoten zu entwirren, bevor Sie ein zusammenhängendes Bild erhalten können.

Die kleine Aufgabe über das Sterne-Sehen *kann* so ein Problem sein. Und wenn Sie es so betrachten, werden Sie nicht länger fragen, „Wozu sich den Kopf zerbrechen?". Denn es wird keine Übung mehr sein, sondern ein *Hindernis*, und das weiterführende Projekt, das Sie reizt, das Ziel eines kohärenten Verständnisses, das Sie vorantreibt, wird Ihnen alle nötigen oder gewünschten Gründe dafür geben, sich den Kopf zu zerbrechen.

Dies Handbuch kann Ihnen keinen solchen lebendigen Kontext bieten. Kein Buch kann das. So etwas muß aus Ihnen selbst kommen, aus Ihrem eigenen Bedürfnis oder Wunsch, etwas zu begreifen. Ich kann Ihnen höchstens zeigen, wie Sie vorgehen können, wie ein solcher Begriffsknoten entwirrt werden könnte. Ich kann Ihnen bestenfalls die Technik vermitteln. Für den Rest müssen Sie selbst sorgen. Und das braucht Zeit und bedarf der Erfahrung. Unsere Projekte werden uns nicht gegeben. Wir finden uns selbst in ihnen; und wir und sie wachsen und reifen zusammen.

So viel zur Entschuldigung. Ich werde tun, was ich kann. Fangen wir an.

1. Was *ist* denn hier überhaupt das Problem? Nun, es wurde ausdrücklich eine Frage gestellt: „Sehen wir jemals einen Stern?" Ist das das Problem? Wohl kaum. Natürlich sehen wir Sterne, ist man versucht zu sagen. In jeder klaren Nacht können wir hunderte sehen. Das genau ist guter Common sense. Problemati-

scher scheint zu sein, daß uns ein Argument suggeriert wird, das so aussieht, als wolle es beweisen, daß zumindest manchmal, wenn wir meinen, einen Stern zu sehen, wir tatsächlich *keinen* sehen. Wir wollen schauen, ob wir die einzelnen Schritte dieses Arguments herausbekommen.

Was bedeutet es, daß Sternenlicht Jahre braucht, bis es uns erreicht? Wen interessiert das Licht? Nun, Licht hängt mit *Sehen* zusammen. Wir benutzen hier ein bißchen elementarste Naturwissenschaft. Ich sehe einen Gegenstand nur dann, wenn Licht von ihm in mein Auge fällt, das meine Netzhaut reizt, bestimmte elektrische Ströme in meinen Sehnerven auslöst und schließlich bestimmte elektro-chemische Veränderungen in der für das Sehen zuständigen Gehirnrinde verursacht. Das heißt, *wenn* wir einen Stern sehen, dann erst, sobald das Licht, das er aussendet, hier eintrifft und auf uns wirkt.

Als nächstes stellen wir fest, daß ein Stern aufgehört haben kann zu existieren, während sein Licht auf dem Weg zu uns war. Nun, angenommen, das war so; der Stern ist explodiert oder so. Dann wird angenommen, es folge daraus, daß wir den Stern *nicht* sehen, weil „wir nichts sehen können, was nicht existiert". Ist das richtig?

Denken wir kurz darüber nach. Wir unterscheiden oft zwischen ,etwas (wirklich) sehen' und ,etwas bloß zu sehen *meinen*'. Dabei ist ein Unterschied (neben anderen), ob das, was wir zu sehen meinen, tatsächlich existiert oder nicht. Wenn mir schien, am Horizont gäbe es eine Oase oder in der Ecke eine Herde von rosa Elefanten, und später entdecke ich, daß das nicht stimmte, dann kann ich eigentlich nicht weiterhin behaupten, ich hätte eine Oase oder rosa Elefanten *gesehen*. Ich muß sagen: „Ich habe fest geglaubt, eine Oase (rosa Elefanten) zu sehen. Vermutlich war es eine Fata Morgana. (Vermutlich hatte ich eine Halluzination.)" Offenbar können wir nicht kohärent sowohl behaupten, wir sähen etwas wirklich, als auch zugeben, was wir zu sehen meinen, existiere tatsächlich nicht. Bestenfalls können wir so etwas sagen wie: „Es ist, *als ob* wir das sähen." Es scheint also billig, der Aussage zuzustimmen, daß wir nichts wirklich *sehen* können, was nicht existiert. Wenn das, was wir zu sehen meinen, nicht existiert, sehen wir es tatsächlich nicht. Wir glauben nur, es zu sehen.

Können wir aber aus all dem ein Problem ableiten? Ich denke, ja. Beginnen wir mit der Behauptung, daß wir nachts immer Sterne sehen und genau wissen, daß das stimmt. Wir können diese Behauptung der losen Gruppe von Meinungen zuordnen, die ich früher „Common sense" genannt habe, denn dahin gehört sie doch wohl. Wenn wir nun unser Stückchen Amateur-Naturwissenschaft über Sterne und über das Sehen hinzunehmen, dann können wir zwei mögliche Beschreibungen dessen geben, was in der Welt vor sich gehen könnte, wenn wir *glauben*, einen Stern zu sehen:

> Fall 1: Von einem Stern vor Jahren ausgesandtes Licht wirkt auf uns und vermittelt uns die Erfahrung, die wir „einen Stern sehen" nennen. Dem Stern ist nichts Widriges zugestoßen. Er ist genau dort, wo er zu sein scheint.

> Fall 2: Von einem Stern vor Jahren ausgesandtes Licht wirkt auf uns und vermittelt uns die Erfahrung, die wir „einen Stern sehen" nennen. Doch ist der Stern irgendwann in der Zwischenzeit explodiert und existiert nicht mehr. Tatsächlich gibt es heute dort nichts, wo wir meinen, daß ein Stern sei.

Im Fall 1 sehen wir einen Stern. Im Fall 2 jedoch – da wir nichts sehen können, was nicht existiert – sehen wir keinen Stern. Das Problem ist: Wir können nicht entscheiden, ob eine einzelne Erfahrung vom Typ ,einen Stern zu sehen meinen' ein Beispiel für Fall 1 oder Fall 2 ist. Wie könnten wir auch? Beide Male geschieht mit uns (mit unserer Netzhaut, mit unseren Sehnerven usw.) dasselbe, und so ist auch die Erfahrung, die wir dadurch haben, in beiden Fällen dieselbe. Demnach wäre es möglich, daß alle Gelegenheiten, bei denen wir meinen, einen Stern zu sehen, Fall 2 zuzuordnen sind. Und wenn das so wäre, sähen wir niemals einen Stern.

Das zugrundeliegende Problem ist also, daß Common sense und Naturwissenschaft zu kollidieren scheinen. Trotz der nur ungenauen Skizzierung kann man erkennen, wie der Konflikt aussieht: Der Common sense unterstellt, wir wüßten ganz genau, daß wir manchmal Sterne sehen, die naturwissenschaftliche Forschung hat dagegen ein Bündel von Fakten über Sterne und über das Sehen entdeckt, die zu implizieren scheinen, daß wir in Wirklichkeit nicht wissen können, ob wir jemals Sterne sehen oder nicht. Wir müssen uns der Frage zuwenden, wie der Konflikt, der hier anscheinend besteht, gelöst werden soll.

2. Nun, was erwartet man von einer Lösung? Was würden wir gerne erreichen wollen? Am liebsten wäre uns, wir könnten sowohl unsere Amateur-Naturwissenschaft als auch unsere unverbildeten Common sense retten. Jedenfalls werden wir nicht mit der Naturwissenschaft streiten. Wenn ein Physiologe beispielsweise behauptet, es müsse erst Licht auf die Netzhaut fallen, bevor jemand sehen kann, so haben wir keinen Grund, ihm zu widersprechen. Uns fehlen die einschlägigen Fachkenntnisse. So werden wir als die eine Adäquatheitsbedingung festsetzen, eine Lösung des Problems müsse berücksichtigten, daß Sterne Billionen von Kilometern entfernt sind, daß Licht Jahre braucht, um von dort zu uns zu gelangen, daß wir einen Stern, *wenn* überhaupt, nur dann sehen, sofern von ihm ausgesandtes Licht auf uns gewirkt hat usw. Doch schauen wir, ob wir nicht auch das Stückchen Common sense retten können. Es wäre doch schön, wenn herauskäme, daß wir oft tatsächlich Sterne sehen und auch genau wissen, daß das stimmt. Wir wollen also fordern, jede adäquate Lösung solle auch diesen Punkt berücksichtigen, sie solle die Behauptungen des „Common sense" ebenso akzeptieren wie die „Naturwissenschaft" genannten Behauptungen. Natürlich läßt sich nicht garantieren, daß es eine Lösung für die Aufgabe gibt, die allen diesen Ansprüchen gerecht wird. Aber ein Versuch lohnt sich.

3. Wenn wir diese Einschränkungen für eine Lösung des Rätsels angenommen haben, dann können wir einen sehr verlockenden Vorschlag gleich verwerfen, nämlich den, wir sähen

eben in Wirklichkeit *nicht* Sterne; was wir wirklich sähen, sei das *Licht*, das die Sterne aussenden. Das würde zwar unsere Wissenschaft retten, jedoch um den Preis des Common sense. Und wir hatten doch beschlossen, das möglichst zu vermeiden. Nun gibt es noch viele andere gute Gründe, dieser Versuchung zu widerstehen und ein Blick auf sie wird uns vielleicht einen Schlüssel an die Hand geben, wie wir unser Problem lösen könnten.

Zum einen, wenn wir niemals Sterne sehen, sondern nur das Licht, das von ihnen ausgesandt wird, dann sehen wir nie etwas anderes als ausgesandtes oder reflektiertes Licht. Das mag so-lange richtig scheinen, bis wir anfangen, uns über die *Gründe* Gedanken zu machen, die Leute haben könnten, Behauptungen, die wir als Behauptungen der Naturwissenschaft bezeichnet haben, zu glauben, einschließlich der Behauptung, wir sähen nichts, sofern und solange nicht Licht davon ausgesandt oder reflektiert wird, das auf uns wirkt. Vermutlich findet man das durch Beobachtung heraus. Doch wenn wir nichts anderes sehen als Licht, dann sehen wir die Meßgeräte, Skalen, Teleskope, Mikroskope, Spiegel, Linsen und anderen Apparate gar nicht, die wir doch brauchen, um diese Beobachtungen zu machen. Also stellen sich gerade die Tatsachen, die zu implizieren scheinen, daß wir nichts als Licht sehen, als Tatsachen heraus, die wir gar nicht *kennen* könnten, wenn es stimmte, daß wir nichts anderes als Licht sehen.

Ja, wir könnten einwenden, daß die Auffassung, was wir tatsächlich sehen, sei Licht, in Wirklichkeit auf einer einfachen Verwechslung beruht: das, *was* wir sehen, wird verwechselt mit dem, *wie* wir es sehen. Zugegeben, wir sehen nur dann etwas, wenn von ihm Licht ausgeht oder reflektiert wird, das auf uns wirkt. Das erklärt uns nur, wie wir etwas sehen: Wir sehen es durch das Licht, das es aussendet oder reflektiert. Doch was wir sehen, ist der Gegenstand, der das Licht aussendet oder reflektiert. Das Licht ist das Mittel optischer Wahrnehmung, nicht deren Gegenstand.

Würden wir die Ansicht zulassen, daß wir nur Licht sehen,

könnten wir ebensogut auch behaupten, wir sähen nur unsere eigenen Augen. Denn schließlich sehen wir nur und erst dann etwas, wenn auf unsere Augen ein Reiz wirkt. Und es gilt ja, „gleiche Prämissen stützen gleiche Konklusionen". Doch auch hier müßten wir antworten, daß das nur besagt, *wie* wir etwas sehen, nicht *was* wir sehen. Die Augen sind Sehorgane, nicht Gegenstände des Sehens.

Wir sollten also diesen verlockenden Vorschlag beiseite lassen. Aber er gibt uns doch einen Fingerzeig zur philosophischen Methode, denn er legt nahe, daß es hier vielleicht auf eine sorgfältige Unterscheidung ankommt, ähnlich der Unterscheidung zwischen ‚was wir sehen' und ‚wie wir es sehen'. Vielleicht gibt es noch eine andere Unterscheidung, die wir übersehen haben.

4. Wie Sie sich erinnern, hatte ich aus der ursprünglichen Problemformulierung ein kleines Argument abgeleitet (oder konstruiert, wenn Sie so wollen). Dies Argument müssen wir nun durchleuchten. Sehen wir uns vor allem die zusätzliche Schlüsselprämisse genauer an: „Wir können nichts sehen, was nicht existiert." Oben hatte ich dies Prinzip kurz verteidigt, indem ich die Common sense-Unterscheidung zwischen ‚etwas sehen' und ‚bloß etwas zu sehen meinen' hervorhob. Meine Beispiele waren Fata Morgana und Halluzination. Jetzt aber, da es darum geht, Unterscheidungen zu treffen, könnten Sie auf den Gedanken kommen, danach zu suchen, in welchen Punkten diese Fälle wesentlich *verschieden* sind von dem Fall eines explodierten Sterns. („Keine Unterscheidung ohne einen Unterschied.") Haben Sie die Frage erst einmal so gestellt, beantwortet sie sich fast von selbst. Für die Fata Morgana gilt, daß an der Stelle in der Wüste *nie* eine Oase *ist*, und für die Halluzination gilt, daß es *nie* eine Herde von rosa Elefanten in der Ecke *gibt*. Doch im Falle eines explodierten Sterns hat es *einmal* in jener Gegend des Weltraums einen Stern *gegeben*. Nur ist jetzt dort keiner mehr. So können wir das, was niemals existiert (was überhaupt nicht existiert), von dem unterscheiden, was jetzt, das heißt zum Zeitpunkt unserer Erfahrung nicht existiert.

So erhalten wir für unsere Schlüsselprämisse „Wir können

.ts sehen, was nicht existiert" zwei Lesarten, einmal: „Wir
_ inen nichts sehen, was zum Zeitpunkt, in dem wir es zu sehen
meinen, nicht existiert" oder: „Wir können nichts sehen, was
niemals existiert." Doch welche dieser Lesarten spielt in unserem
Argument eine Rolle? Die Antwort lautet offenbar: „Beide!"
Denn in Fall 2 brauche ich die erste Lesart, um schließen zu können, daß wir keinen Stern sehen; doch habe ich die zweite Lesart
verteidigt, als ich Fata Morgana und Halluzinationen anführte
und als ich wirkliches Sehen dem bloßen ,zu sehen meinen' ge-
genübergestellt habe. Es gibt also manchen Grund, die Prämisse
nach der zweiten Lesart als wahr zu akzeptieren, aber wir haben
überhaupt keinen Grund, sie zu akzeptieren, wenn wir sie nach
der ersten Lesart interpretieren. Und das weist uns den Weg,
das ursprüngliche Problem zu lösen.

5. Wir wollten unsere Common sense-Überzeugung, daß wir
oft Sterne sehen und genau wissen, daß das stimmt, retten, ohne
damit die Ergebnisse der Physik in Frage zu stellen. Und wir
sind jetzt imstande, das zu tun, vorausgesetzt, wir verfügen
über eine hinreichend differenzierte Interpretation unserer zu-
sätzlichen Prämisse. Gehen wir wieder zurück zu unseren beiden
Fällen! Wie Sie sich erinnern werden, erwuchs das Problem aus
drei Konklusionen: (1) im Fall 1 sehen wir einen Stern; (2) im
Fall 2 sehen wir keinen Stern und (3) wir können die Fälle nicht
unterscheiden. Doch jetzt können wir erkennen, daß ein Weg
offensteht, das Argument, das uns zu der zweiten Konklusion
geführt hat, abzulehnen. Für die Konklusion 2 sprach, daß wir
nichts sehen können, was nicht existiert. Diese Konklusion folgt
jedoch nur, wenn wir diese Prämisse auf die erste Art interpretieren, nämlich als: Wir können nichts sehen, das zum Zeitpunkt
unserer Wahrnehmung nicht existiert. Und es steht uns frei,
diese Interpretation zurückzuweisen. Die Beispiele für bloß ,zu
sehen meinen', Halluzinationen und Fata Morgana, haben uns
Gründe geliefert, nur die zweite Interpretation zu akzeptieren:
Wir können nichts sehen, was niemals existiert. Doch nach dieser
Interpretation haben wir jetzt keinen Grund mehr zu schließen,
Fall 2 sei kein Fall von ,einen Stern sehen'. Die Prämisse stützt

die Konklusion nicht mehr. Wir können konsistenterweise behaupten, daß wir sowohl im Fall 1 als auch im Fall 2 *tatsächlich* einen Stern sehen, und kein Widerspruch plagt uns mehr.

6. Nun kann eingewandt werden, diese Lösung gebe uns keine Möglichkeit zu entscheiden, ob eine bestimmte Wahrnehmung, bei der wir einen Stern zu sehen meinen, Fall 1 oder Fall 2 zuzuordnen ist. Und das ist richtig. Aber es ist kein Einwand. Nur solange wir dachten, die Differenz zwischen den Fällen bestünde in der Differenz zwischen ‚einen Stern sehen‘ und ‚keinen Stern sehen‘, war es ein *Problem*, daß wir zwischen den zwei Arten von Fällen nicht unterscheiden konnten. Da wir jetzt wissen, daß wir nicht auf diese Konklusion verpflichtet sind, können wir beruhigt antworten, daß die Entscheidung in jedem Einzelfall jeweils eine besondere Untersuchung erfordere. Und natürlich tut sie das! Bei unserem Beispiel ist das ganz leicht: Wir warten einfach die entsprechende Zahl von Jahren. Wenn der Stern in der Zwischenzeit explodiert ist, dann werden wir die Explosion früher oder später zu sehen bekommen. Es gibt keinen Grund, weshalb wir imstande sein sollten, *allein* aufgrund der Untersuchung einer einzelnen Erfahrung, die wir irgendwann haben, zu entscheiden, ob Fall 1 oder Fall 2 vorliegt. Das entspräche weder dem „Common sense" noch der Naturwissenschaft. Tatsächlich gilt genau dasselbe für das Sehen im Gegensatz zur Fata Morgana und zur Halluzination. Wir können aufgrund einer *einzelnen* Wahrnehmung, die wir irgendwann haben, nicht sagen, daß an dieser Stelle keine Oase ist oder daß es keine Herde von rosa Elefanten in der Ecke gibt. Wir müssen hingehen und nachschauen.

Doch könnte immer noch eingewandt werden, es sei noch möglich, daß *alle* Fälle, in denen wir glauben, einen Stern zu sehen, solche von der zweiten Art sind — oder noch schlimmer, daß wir in allen Fällen, in denen wir glauben, *irgend etwas* zu sehen, Halluzinationen erliegen. Nun, das führt uns in tiefere dialektische Gefilde, aber ich kann kurz zweierlei anmerken, um den unmittelbaren Einwand zu entkräften. Einerseits könnte es wirklich sein, daß alle Sterne, die wir heute abend sehen, vor etwa zwei Jahren gleichzeitig explodiert sind. Kein noch so langes, bloß abstraktes Räsonnieren könnte irgendwie sicherstellen, daß das nicht geschehen ist. Wenn das so wäre, fänden wir uns ganz entschieden im Fall 2. Allerdings möchte ich annehmen, daß die Astronomen gute Gründe haben zu meinen, es sei extrem unwahrscheinlich, daß so etwas passiert. Doch was soll's? Selbst wenn es geschehen sein sollte, brauchen wir keine der naturwissenschaftlichen oder der Common sense-Thesen, um die es hier geht, aufzugeben. Denn jetzt wissen wir, daß wir konsistent bleiben, wenn wir behaupten, daß Erfahrungen vom Typ des Falles 2 Beispiele dafür sind, daß wir Sterne sehen. (Natürlich ist es weiterhin legitim, sich für die *nicht*-philosophischen Folgen solch einer stellaren Explosion zu interessieren.)

Und was jene problematischere Möglichkeit anbetrifft, wie sieht da die Argumentation aus? Mir scheint, sie besteht aus zwei Schritten:

(A) Wir können nicht aufgrund der Untersuchung einer einzelnen Erfahrung behaupten, daß keine Halluzination vorliegt.

Also könnte jede Erfahrung eine Halluzination sein.

(B) Jede Erfahrung könnte eine Halluzination sein.

Also könnte es sein, daß alle Erfahrungen Halluzinationen sind.

Und wenn *das* der Argumentationsgang ist, dann gibt es keine Probleme. *A* mag richtig sein oder nicht; wenn Sie aber ein wenig über *B* nachdenken, werden Sie entdecken, daß Sie bereits wissen, was dazu zu sagen ist.

Damit endet meine Illustration und Diskussion des Essays zur Problemlösung. Ein paar Beobachtungen am Rande sollten Sie von hier mitnehmen. Wohl die wichtigste ist, wieviel Arbeit darin liegt, sich klar zu machen, was überhaupt das *Problem* ist. Das macht den weitaus größten der sechs Teile meines Beispielfalles aus, und das ist nicht außergewöhnlich, sondern typisch. Erst als wir das uns gestellte Problem als einen Konflikt zwischen Argumenten aus der Naturwissenschaft und Argumenten aus dem Common sense rekonstruiert hatten, konnten wir sehen, wo es nötig war, begrifflichen Druck auszuüben. Und die detaillierte Problemanalyse war auch nötig, um Adäquatheitskriterien vorzuschlagen, die uns von der verlockenden, aber letztlich irrigen Annahme abbringen konnten, wir sähen in Wirklichkeit nur Licht. Die Zeit, die wir aufgewendet haben, um das Problem zu entziffern, um die Voraussetzungen und Prinzipien, die der gestellten Frage zugrundeliegen, freizulegen und zu spezifizieren, war gut genutzte Zeit. Es ist besser, Sie investieren Ihre Energie in eine derart detaillierte Formulierung und Analyse, als daß Sie sich an einem Problembrocken die Zähne ausbeißen, nur weil Ihnen das rechte Verständnis dafür fehlt, worin das Problem eigentlich besteht.

Man sollte auch beachten, wie schnell sich eine kleinere philosophische Aufgabe wie diese zu viel umfangreicheren Fragen ausweitet, Fragen nach der Verläßlichkeit sinnlicher Wahrnehmung im allgemeinen wie nach der relativen Autorität von Common sense und empirischer Wissenschaft, die als Kodifikationen dessen gelten, was wir wirklich wissen. Hier zeigt sich noch einmal, was ich oben schon als systematischen und dialektischen Charakter eines philosophischen Standpunkts angesprochen habe: Jedes philosophische Bild ist, zumindest implizit, eine vollständige Weltanschauung, und jedes Ziehen an einem herabhängenden Faden bringt das ganze Netz in Bewegung.

10. Philosophische Essays

Wie man eine eigene These verteidigt

Wahrscheinlich werden Sie als Student nicht in die Lage kommen, eine ganz neue philosophische Konzeption formulieren und verteidigen zu müssen. Und das ist gut so. Anders als in den bisher betrachteten Formen philosophischer Essays, läßt sich für die Verteidigung einer eigenen These kein Rezept aufstellen. Natürlich muß in jeder solchen Verteidigung die aufgestellte These oder die Position, die vertreten werden soll, dargelegt werden, und es sind eine Reihe von Überlegungen zu entwikkeln, die sie stützen. Oft wird der Verfasser einer solchen Verteidigung auch erwartbare Kritik an seiner Position vorwegnehmen und beantworten wollen; er wird gewisse Mißverständnisse vermeiden oder die philosophischen Folgen (vielleicht sogar die praktischen Folgen), die sich aus einer Annahme ergeben, ausführlich behandeln wollen. Nicht selten schließt so eine wirklich originäre Weltanschauung jedoch einen von Grund auf neuen methodischen Ansatz ein, eine neue Metaphilosophie, die ihrerseits die Form der philosophischen Darlegung bestimmt. Und schließlich mag eine radikal neue und schöpferische philosophische These hohe Anforderungen an das literarische Talent ihres Verfechters stellen. Daher sind die einflußreichen Hauptwerke der großen Philosophen oft beeindruckende literarische Schöpfungen von außerordentlicher Anmut und Kraft. Das Spektrum der Darstellungsformen reicht von den sprühend lebendigen *Dialogen* zwischen den Athenern Platons bis hin zur kristallklaren Geometrie der *Ethik* Spinozas, von den kraftvollen mythischen Aphorismen in Nietzsches *Zarathustra* bis zu den gehaltvollen, oberflächlich betrachtet unverbundenen numerierten Paragraphen, die Wittgenstein als *Philosophische Untersuchun-*

gen scheinbar lose zusammengefaßt hat. Kommen wir von Kritik, Entscheidung und Problemlösung zum Thema Kreativität in der Philosophie, dann überschreiten wir, wie das in *jeder* Disziplin der Fall ist, den Punkt, bis zu welchem unser Gegenstand lehrbar ist. Ich kann Ihnen keine Anleitung geben, wie man solche Werke schreibt. Ich kann höchstens ein paar Strategien empfehlen, wie man sie liest. Und damit komme ich zum letzten Thema dieses Handbuchs.

11. Sechs Möglichkeiten,
einen Philosophen zu lesen

Philosophische Werke lassen sich nicht einfach durchlesen; sie wollen, daß man ihnen auf den Grund geht. Deshalb unterscheiden sich philosophische Seminare von, sagen wir, mathematischen oder biologischen Kursen dadurch, daß sie nicht inhaltlich, nach Schwierigkeitsgrad oder Komplexität des Stoffes gegliedert sind. In der Mathematik beherrscht man Multiplikation und Division vor Geometrie und Algebra, Geometrie und Algebra vor Trigonometrie und Analysis. In der Biologie seziert man einen Regenwurm, bevor man einen Frosch seziert, einen Frosch vor einer Maus. In der Philosophie lernt man dagegen auf dem selben Gelände Krabbeln, Gehen und Laufen. In der Philosophie beginnt man, womit man auch aufhört, mit Platon und Aristoteles, mit Descartes und Hume, ja, mit dem ganzen Sternenhimmel großer Philosophen, ihren Werken und ihren Themen. Was im Laufe eines Philosophiestudiums variiert, sind nicht die Gegenstände, mit denen man sich auseinandersetzt, sondern die Art und Weise, in der man das tut, und die Tiefgründigkeit, mit der es geschieht. Die Werke eines Philosophen können also auf verschiedene Weisen gelesen werden. Sechs davon haben Sie hier:

1. *Sie können einen Philosophen auf seine Resultate hin lesen*

Das ist vielleicht die verbreitetste Art des ersten Zugangs für den Studienanfänger wie für den interessierten Laien. Sie lesen ein Werk, um herauszufinden, *was* sein Verfasser denkt. Sie stellen eine Liste seiner Ansichten und Überzeugungen zusammen. Wenn Ihre Untersuchung hier endet, dann ist Philosophieren für Sie ein Klassifizieren (Etikettieren). Sie ordnen jeden einzelnen Philosophen den entsprechenden „ismen" zu: Realismus, Idealismus, Empirismus, Rationalismus, Existenzialismus, Utilitarismus, Intuitionismus, Logizismus, Nominalismus usw. Die Möglichkeiten, zu gliedern und zu untergliedern, sind unbegrenzt. Es ist schon sinnvoll, sich in diesen Klassifikationen auszukennen. Das verschafft Ihnen einen groben Überblick über die philosophische Landschaft. Wer sich für ein philosophisches Werk hauptsächlich als kulturelles oder historisches Produkt, als Meilenstein der Geistesgeschichte interessiert, der mag mit diesem Zugang zufrieden sein. Für einen Philosophen ist das jedoch nur der Anfang.

2. *Sie können einen Philosophen auf seine (Argumente) hin lesen*

Als nächstes werden Sie wahrscheinlich versuchen, über den Inhalt der Resultate, Thesen und Ansichten, die ein Philosoph akzeptiert, hinauszugelangen und auf ein Verständnis der zugrundeliegenden Argumentationsstruktur hinzuarbeiten. In dem Fall lesen Sie ein Werk nicht nur, um herauszufinden, was sein Verfasser oder seine Verfasserin denkt, sondern *warum* er beziehungsweise sie es denkt. Ein nützlicher Nebeneffekt dieses Zugangs besteht darin, daß sich Erkenntnisse über die gedanklichen Zusammenhänge zwischen den einzelnen Ansichten eines Philosophen ergeben, darüber, wie verschiedene Schlußfolgerungen verknüpft oder auch nicht verknüpft sind, wie sie sich stützen oder einander aufheben. Liest man einen Philosophen auf diese Art sorgfältig, mit dem Ziel, die Argumentationsstruktur darzustellen und zu verdeutlichen, so hat man eine wesentliche Grundlage für jedes noch tiefergehende Verständnis philosophischer Werke. Jedoch ist es eine Grundlage, auf der man in verschiedener Weise aufbauen kann.

3. Sie können einen Philosophen in seinem dialektischen Zusammenhang lesen

Jeder Philosoph betritt das große historische Forum der Philosophie zu einem bestimmten Zeitpunkt. So hat jeder Philosoph Vorläufer und Lehrer, Kollegen und Kontrahenten. Die Diskussion, der Schlagabtausch der Argumente ist schon voll im Gange. Sie können nun versuchen, aus dem Rohmaterial, das Sie beim Lesen auf Resultate und Argumente hin gewonnen haben, den dialektischen Beitrag des jeweiligen Philosophen herauszufiltern. Wie faßt er die zentralen Diskussionsthemen und Probleme auf, und welche neue Sichtweise vermittelt er uns? Welche neuen Fragen werden gestellt? Welche Wege werden als Irrwege kenntlich gemacht und versperrt? Das Hauptwerk eines bedeutenden Philosophen wirkt wie ein Stein, der in einen Teich von Begriffen und Problemen fällt. Einen Philosophen in seinem dialektischen Zusammenhang lesen, heißt, die Wellenlinien, die so ein Stein verursacht, zu untersuchen und dabei festzuhalten, wie sie die vielen anderen Wellenkreise aufheben oder verstärken, die die Wasseroberfläche in Bewegung halten. Ein Problem ändert sich, sobald ein großer Geist es berührt. Was es vorher war und was aus ihm geworden ist, darum geht es bei dieser dritten Form, einen Philosophen zu lesen. Wenn auf Resultate hin lesen heißt, feststellen, was jemand denkt, und auf Argumente hin lesen heißt, feststellen, warum er oder sie es denkt, dann heißt, etwas im dialektischen Zusammenhang lesen, feststellen, wie dieser Mensch denkt, und das herauszufinden ist die schwierigste der drei Aufgaben.

Nun war bislang nur die Geschicklichkeit des Lesers, einen Text auszulegen und zu interpretieren gefragt, seine Fähigkeit, sich in eine philosophische Ansicht hineinzudenken, sie zu verstehen, die Argumentation, die sie stützt, zu rekonstruieren und ihre Implikationen im dialektischen Zusammenhang zu erkennen. Aber so wie beim Schreiben philosophischer Arbeiten, ist auch hier Raum für mehr als nur Auslegung und Interpretation.

4. Sie können einen Philosophen kritisch lesen

Sie haben die Resultate. Sie haben die Argumente. Haben Sie diese erst einmal verstanden, so können Sie darangehen, sie zu beurteilen. Das heißt es, Philosophie kritisch zu lesen. Dazu müssen Sie mit dem Buch in einen Dialog treten. An jede positive Ansicht oder Behauptung eines Philosophen können Sie die kritischen Fragen richten: Ist das wahr? Folgt das? Die Antworten, die Sie geben, sind jedoch mehr als nur eine Überprüfung des fraglichen philosophischen Standpunktes. Wichtig ist, daß Sie damit auch testen, ob Sie diesen Standpunkt richtig verstanden haben. Denn Sie müssen mehr erfassen, als nur das, was der Philosoph sagt und warum er es sagt. Sie müssen auch eine Ahnung davon haben, was der Philosoph als Antwort auf Ihre bohrenden, kritischen Fragen entgegnen würde. Nur wenn Sie ein solches Vorstellungsvermögen und eine solche Einfühlungsbereitschaft für eine philosophische Position mitbringen, kann Kritik mehr bieten als nur oberflächliche Spitzfindigkeiten. Nur dann kann Ihre Kritik für das, was den Kern der betrachteten Ansicht ausmacht, wichtig sein. Sie sollten also nicht nur verstehen, was, warum das und wie ein Philosoph denkt. Um kritisch zu lesen, müssen Sie auch erkennen, was es mit der vorliegenden Position *auf sich hat*. Und natürlich werden Sie nicht der erste sein, der das versucht.

5. Sie können einen Philosophen auf die Entscheidung eines Problems hin lesen

Um auf diese fünfte Art an Philosophie heranzugehen, brauchen Sie ein Vielfaches an analytischen Fähigkeiten, extrapolierendem Verständnis und kritischem Scharfsinn. Denn, liest man ein philosophisches Werk mit dem Ziel, zu einer Entscheidung zu kommen, so betrachtet man es in seinem dialektischen Zusammenhang und nicht wie beim kritischen Lesen als isolierte Position. Das Ziel ist hier nicht nur, die neuen Wendungen, die ein Philosoph einem alten Problem gegeben hat, zu erfassen, sondern man bemüht sich zu ermessen, welches sachliche Gewicht sein Beitrag hat, man bemüht sich einzuschätzen, wie weit er seine Vorläufer und Zeitgenossen richtig verstanden und zu Recht kritisiert hat, und versucht abzuwägen, wie ergiebig die neuen Fragen, neuen Methoden und neuen Wege sein mögen, die sie der philosophischen Forschung eröffnen. Um das zu leisten, bedarf es so etwas wie einer sorgfältig kontrollierten Schizophrenie, denn Sie müssen sich mit Einfühlungsvermögen innerhalb einer Vielfalt philosophischer Standpunkte bewegen, die oft in ganz unterschiedlicher Ausdrucksweise entwickelt werden und radikal divergierende methodische Konzepte verkörpern. Sie müssen versuchen, sich in die Rolle eines jeden Teilnehmers zu versetzen, der seinerzeit an der Debatte beteiligt war, und Sie müssen versuchen, von *allen* diesen Standpunkten aus das Hin und Her der ganzen Diskussion, eben die „Dialektik", neu zu durchdenken. Denn es geht nicht nur darum, die neuen Einsichten, die gewonnen werden sollen, richtig einzuschätzen. Ebenso wichtig ist, daß alte Einsichten nicht ganz verlorengehen. Der auf eine sachgerechte Entscheidung abzielende Leser darf demnach nicht parteiisch an eine philosophische Kontroverse herangehen, denn es kommt darauf an, all das zu extrahieren und zu bewahren, was dauerhaften philosophischen Wert besitz. Und das bereitet den Boden für unsere letzte Möglichkeit.

6. *Sie können einen Philosophen kreativ lesen*

Wenn Sie ein philosophisches Werk kreativ zu lesen verstehen, haben Sie eine wichtige begriffliche Grenzlinie, gewissermaßen eine Wasserscheide, überschritten. Sie haben die Probleme seines Autors zu Ihren eigenen gemacht. Sie nehmen einen philosophischen Text nun nicht mehr als akademische Übung. Sie sind selbst auf der Spur. Da gibt es manches über die Menschen und ihr Verhältnis zum Universum, was Sie verstehen müssen, irgendeinen Begriffswirrwarr, der sich Ihren Lösungsversuchen widersetzt. Wenn Sie sich dann den Gestalten der großen Philosophen der Vergangenheit zuwenden, so mit dem Ziel, ein größeres Spektrum begrifflicher Möglichkeiten zu erforschen, als Sie selbst entwickeln könnten, und Sie tun das mit dem Zweck und in der Hoffnung, vielleicht einen Weg zu finden, um die Rätsel, die Sie quälen, selbständig zu lösen. Mehr als das läßt sich schwer sagen. Denn wie man philosophische Werke kreativ liest, das läßt sich so wenig in Regeln fassen wie kreatives Schreiben. Und so bin ich wiederum an die Grenzen des Lehrbaren gestoßen.

Rückblick

Ein Handbuch wie dieses kann nur von begrenztem Nutzen sein. Philosophie ist eine praktische Tätigkeit, und sie zu beherrschen, bedeutet, über kognitive Fähigkeiten zu verfügen, und nicht, sich eine Menge von Fakten anzueignen. Der Philosoph ist in seiner praktischen Arbeit ein Begriffshandwerker. Also läßt sich Philosophie, wie jedes andere Handwerk, letztlich nur beherrschen, indem man sie betreibt. Wirkliches Können entwickelt sich nur allmählich aus einer langen Reihe mißglückter Versuche. Vor jeder meisterhaft getischlerten Vitrine liegen Generationen wackliger Regale und schiefer Kommoden. In der Philosophie ist es ebenso.

Wenige Stunden vor seinem Tod äußerte Sokrates ein paar Gedanken über Schmerz und Lust:

> Was für ein seltsames Ding, ihr Freunde, ist doch die Empfindung, die man gewöhnlich Lust nennt. Merkwürdig, wie eng sie mit dem, was man als ihr Gegenteil ansieht, verbunden ist, dem Schmerz. Nie wollen beide Empfindungen zugleich zum Menschen kommen, doch wenn man der einen nachgeht und sie erlangt, so ist man fast immer genötigt, auch die andere mitzunehmen; sie sind wie zwei Körper mit einem gemeinsamen Kopf. Ich glaube, wenn Äsop dies bemerkt hätte, so würde er eine Fabel daraus gemacht haben: Gott wollte die beiden Streitenden miteinander versöhnen und, da er das nicht konnte, band er sie an den Enden zusammen; wo immer sich nun eine von ihnen einstellt, folgt die andere nach. Gerade so scheint es auch mir ergangen zu sein. Von der Fessel fühlte ich einen Schmerz in meinem Bein und nun empfinde ich die Lust, die auf ihn folgt.[1]

[1] Platon, *Phaidon* (60 b, c).

Die Enge der Fessel ist nicht nur ein Vorspiel zur Wonne des Befreitwerdens. Paradoxerweise ist sie auch ihre unverzichtbare Vorbedingung. In der Philosophie ist es natürlich ebenso. Leider haben die Anfänger mehr mit den Qualen als mit der Lust des Philosophierens zu tun. Und das ist unvermeidlich. Doch es lohnt sich dabeizubleiben. Denn anders als das Befreitwerden von Fesseln, ist das Durchbrechen der Verkrustungen eingeengten Denkens und die Eröffnung einer klaren und zusammenhängenden Übersicht über irgendein kompliziertes begriffliches Terrain eine ausgesprochen *menschliche* Lust, die nur uns gegeben ist, weil wir Sprache und Vernunft haben. Man kann sie nicht erleben, ohne dadurch verändert zu werden. Was Sie dabei entdecken, ist der Ort des wahrhaft Bedeutungsvollen. Denn am Ende ist die uneingeschränkte Tätigkeit der Vernunft für uns das *Bedeutsamste*, weil wir eben vernunftbegabte Lebewesen sind. Und diese Wahrheit zu begreifen heißt, sich die Überzeugung zu eigen zu machen, für die Sokrates gelebt hat und gestorben ist: daß ein undurchdachtes Leben nicht lebenswert ist.

Anhang

Philosophische Rätsel

1. Es wird manchmal behauptet, der Weltraum sei leer, was vermutlich heißen soll, daß zwischen zwei Sternen nichts ist. Wenn aber zwischen zwei Sternen *nichts* ist, dann sind sie durch nichts von einander getrennt und folglich müssen sie unmittelbar nebeneinander sein, vielleicht bilden sie eine merkwürdige Art Doppelstern. Natürlich wissen wir, daß das nicht so ist, also folgt, daß der Weltraum eben doch nicht leer ist.

2. Man hat daraus, daß Kühe so scheu sind, geschlossen, ihre Augen seien so angelegt, daß sie Menschen und Tiere viel größer wahrnehmen, als sie in Wirklichkeit sind. Kommt Ihnen das wahrscheinlich vor?

3. Descartes schreibt: „Aus großer Entfernung erscheinen uns Sterne oder andere Körper viel kleiner als sie sind." Wie nah müßten wir ihnen sein, damit sie uns in ihrer richtigen Größe erscheinen (das heißt, in der Größe, die sie tatsächlich haben)?

4. Könnte jemand, der von Geburt an blind ist, wissen, was das Wort ‚rot' bedeutet? Übrigens, was bedeutet eigentlich das Wort ‚rot'?

5. Wenn es in New York 12³⁰ Uhr ist, wieviel Uhr ist es dann auf dem Neptun?

6. Legt man ein gerades Cocktailstäbchen in ein Glas voll Whisky mit Soda, dann sieht es geknickt aus. Untersuchen wir es weiter, so entdecken wir, daß es sich gerade anfühlt. Gewöhnlich schließen wir dann, daß es anders aussieht, als es ist, obwohl es sich immer noch so anfühlt, wie es ist. Doch das ist töricht. Es gibt keinen einleuchtenden Grund, nicht stattdessen zu schließen, das Stäbchen sei (jetzt) abgeknickt. Es fühle sich nur gerade an, aber in Wirklichkeit sei es so, wie es aussieht, das heißt, es fühlt sich anders an, als es ist. Ist das richtig?

7. „John Doe mag mit Richard Roe verwandt, befreundet, verfeindet oder ihm unbekannt sein, aber er kann in keinem solchen Verhältnis zu Otto Normalverbraucher stehen. Er kann in bestimmten Gesprächen über Otto Normalverbraucher durchaus vernünftige Sachen sagen, aber er ist verwirrt, wenn er sagen soll, weshalb er ihn nicht ebenso auf der Straße trifft, wie er Richard Roe trifft."

Beide, Richard Roe und Otto Normalverbraucher, können männlich, 44 Jahre alt, verheiratet, Hausbesitzer sein und 9500 Dollar im Jahr verdienen. Aber Richard Roe kann in Davenport/Iowa leben, eine Frau namens Amy haben, einen Buick fahren und im Vorgarten Ahornbäume ziehen, Otto Normalverbraucher kann das nicht. Allerdings kann Otto Normalverbraucher 2,6 Kinder haben und 1,3 Autos besitzen, was Richard Roe nicht kann. Wie erklären Sie sich das?

8. Hunde hören Töne, die für das menschliche Ohr zu hoch sind. Könnte es Töne geben, die für jegliches Lebewesen zu hoch sind?

9. Der griechische Sophist Protagoras war von seinen Erfolgen als Rechtslehrer so überzeugt, daß er einmal einen Schüler kostenlos unterrichtete, unter der Bedingung, daß der Schüler sein Lehrgeld von seinem Honorar für den ersten gewonnenen Rechtsstreit bezahlen sollte. Nach seinem Studium weigerte sich der Schüler jedoch, als Rechtsanwalt zu arbeiten. Da klagte Protagoras sein Schulgeld ein. Vor Gericht argumentierte er, der Schüler müsse bezahlen, ob er gewinne oder verliere: Wenn er den Prozeß gewinne, so müsse er gemäß ihrer Absprache zahlen, wenn er ihn verliere, nach dem Urteilsspruch des Gerichts. Der kluge Schüler antwortete dagegen, daß die Bezahlung in jedem Fall verwirkt sei: nach ihrer Absprache, wenn er den Prozeß verliere und durch den Urteilsspruch des Gerichts, wenn er ihn gewinne. Erhält Protagoras sein Schulgeld oder nicht?

10. Angenommen, Achilles läuft zehnmal so schnell wie die Schildkröte und gibt ihr hundert Meter Vorsprung. Will Achilles den Wettlauf gewinnen, muß er erst seinen anfänglichen Rückstand von hundert Metern aufholen. Doch bis er das getan

hat und den Punkt erreicht, von dem aus die Schildkröte gestartet ist, hatte diese Zeit, zehn Meter Vorsprung zu gewinnen. Während Achilles diese zehn Meter läuft, kommt die Schildkröte einen Meter vorwärts; bis Achilles diesen Meter gelaufen ist, ist die Schildkröte ein Zehntel Meter voraus und so weiter, ohne Ende. Achilles holt die Schildkröte nie ein, weil die Schildkröte immer einen Vorsprung behält, wie klein er auch sein mag.

11. „Wenn meine Denkvorgänge völlig von den Bewegungen der Atome in meinem Gehirn bestimmt werden, dann habe ich keinen Grund anzunehmen, daß das, was ich glaube, wahr ist. Daher habe ich keinen Grund anzunehmen, daß mein Gehirn aus Atomen zusammengesetzt ist."

12. Wenn Sie eine Seite eines Apfels sehen, aber nicht alle seine Seiten, dann sehen Sie nicht einen Apfel, sondern nur eine Seite eines Apfels. Da keiner jemals alle Seiten eines Apfels sieht, sieht keiner jemals einen Apfel. Das Argument gilt nicht nur für Äpfel. Birnen, Pflaumen, Pfirsiche, Autos, Bücher, Menschen, niemand sieht sie jemals. Ja, niemand sieht jemals irgend etwas. Was ist hier falsch?

13. Gibt man einem Armen einen Pfennig, so ändert das nichts an seiner Armut: War er arm, bevor Sie ihm den Pfennig gaben, so ist er arm, nachdem Sie ihm den Pfennig gegeben haben. Ein Mensch, der *einen* Pfennig sein eigen nennt, ist gewiß arm. Geben Sie einem Armen einen Pfennig, und er wird immer noch arm sein. Also ist ein Mensch mit zwei Pfennigen arm. Ebenso mit drei Pfennigen. Und mit vier Pfennigen. Wenn man aber lange genug so weitermacht, dann hat der Kamerad Milliarden über Milliarden. Und ein Mensch mit so viel Geld ist gewiß nicht arm. Klar, irgend etwas ist bei Ihrer Argumentation hier schiefgelaufen, aber was und wo?

14. „Da es nur einen Gott gibt, den man anbeten kann, wird der, der einen Gott anbetet, unweigerlich den wahren Gott anbeten." Wozu also viel Aufhebens davon machen?

15. „Wenn Sie nicht glauben, daß es einen Gott gibt, der die ganze Welt entworfen und geschaffen hat, dann müssen Sie

glauben, daß alles, was geschieht und jemals geschehen ist, ein einziger riesiger *Zufall* ist." Ist das richtig?

16. Was ich sehe, hängt vom Zustand meiner Sehorgane ab. Physische Gegenstände sind nicht abhängig vom Zustand meiner Sehorgane. Deshalb sehe ich keine physischen Gegenstände.

17. Wollen wir eine in Frage stehende Regel für logisches Schließen bewerten, so untersuchen wir stets eine gewisse Menge von Schlüssen, die nach dieser Regel gezogen worden sind und sehen nach, ob die Regel erfolgreich war oder nicht. Wenn sich in fast allen Fällen die Schlußfolgerung als richtig erweist, dann können wir mit Recht behaupten, daß diese Regel für logisches Schließen gerechtfertigt ist. Nun ist die folgende Regel in einer Vielfalt von Fällen angewandt worden und hat sich als höchst erfolgreich erwiesen:

R:

> *Aus*: „Alle bisher beobachteten A's sind B's gewesen."
>
> *Folgt*: „A's, die von jetzt an beobachtet werden, sind wahrscheinlich auch B's."

Deshalb kann man schließen, daß sie in Zukunft wahrscheinlich weiterhin erfolgreich sein wird, und wir sie mit Recht weiterhin benutzen.

18. Ein gütiges Wesen würde Unglück und Leid abschaffen, wenn es dazu imstande wäre und davon wüßte. Ein allwissendes Wesen würde von Unglück und Leid wissen, und natürlich könnte ein allmächtiges Wesen Unglück und Leid beseitigen, wenn es das wollte. Gott ist doch angeblich allwissend, allmächtig und gütig. Warum gibt es dann Unglück und Leid in der Welt?

19. Gleichgültig, eine wie gute Welt Gott tatsächlich geschaffen hat, er hätte immer eine bessere geschaffen haben können, denn es gibt keine bestmögliche Welt, ebensowenig wie es eine größtmögliche natürliche Zahl gibt. Folglich können wir Gott nicht moralisch verurteilen, da es nichts gibt, was Gott zu tun versäumt hätte, um dessentwillen wir ihn tadeln könnten. Ist das richtig?

20. Ebenso wie eine Dissonanz zur Schönheit einer ganzen Symphonie beitragen kann, und ebenso wie ein häßlicher Pinselstrich zur ästhetischen Gesamtwirkung eines Gemäldes beitragen kann, so kann es sein, daß Unglück und Leid notwendige Bestandteile der besten aller möglichen Welten sind. Wenn das so ist, dann können wir Gott nicht moralisch verurteilen, weil er sie zugelassen hat. Ist das richtig?

21. Können zwei Gegenstände *nur* in ihrer Länge verschieden sein?

22. Wir haben alle in der Grundschule gelernt, daß man Äpfel und Orangen nicht addieren kann. Wir haben auch gelernt, daß man Äpfel und Äpfel addieren *kann*. „2 Äpfel + 2 Äpfel = 4 Äpfel", das ist ja wohl wahr. Nun, Sie wissen wahrscheinlich, wie man Äpfel schält, ißt oder wirft. Doch wie *addiert* man sie eigentlich?

23. Entweder existiert Gott, oder er existiert nicht. Keine dieser Behauptungen läßt sich als wahr erweisen. Also müssen wir wetten. Wetten wir, daß Gott existiert und haben recht, dann gewinnen wir alles; haben wir unrecht, verlieren wir nichts. Wetten wir, daß Gott nicht existiert und haben unrecht, dann verlieren wir alles; haben wir recht, gewinnen wir nichts, aber verlieren auch nichts. Das ist sicher die Chance unseres Lebens. Jeder vernünftige, kluge Mensch sollte begierig sein zu wetten, daß Gott existiert und folglich das Leben eines Gläubigen führen.

24. Eines Freitags eröffnete eine Lehrerin ihrer Klasse, daß an einem der fünf Unterrichtstage der nächsten Woche unvorbereitet ein mündlicher Test durchgeführt werde. Die Klasse sollte nicht wissen, an welchem der fünf Tage der Test stattfinden werde und es erst am Morgen des Prüfungstages erfahren. Ein Schüler argumentierte folgendermaßen: „Sie können den Test nicht am Freitag machen, denn wenn er nicht an den vorangegangenen Tagen stattgefunden hat, dann wissen wir am Donnerstag abend, daß er am Freitag sein wird, und es wäre keine Überraschung. Ebenso kann er nicht donnerstags sein. Denn Freitag fällt weg, und wenn der Test nicht an einem der ersten drei Tage stattgefunden hat, wüßten wir am Mittwoch abend, daß er für Donnerstag vorgesehen ist. Wieder wäre es keine Überraschung. Offensichtlich gilt das gleiche Argument für Mittwoch, Dienstag und Montag. Folglich können Sie überhaupt nicht unvorbereitet prüfen." Die Lehrerin war verwirrt. Sie hatte den Test am Mittwoch durchführen wollen und war sicher gewesen, daß die Schüler das nicht wußten. Doch das Argument des Schülers schien ihr überzeugend, und sie sagte die Prüfung ab. Hätte sie das tun sollen?

25. Enthält der hier folgende Kasten einen wahren oder einen falschen Satz?

> Der Satz in dem Kasten auf Seite 168 in dem Buch *Philosophieren* ist falsch.

26. Wenn es so etwas wie den Weihnachtsmann und die Zauberfee nicht gibt, worüber sprechen Sie dann, wenn Sie einem Kind erklären, daß es so etwas wie einen Weihnachtsmann und eine Zauberfee nicht gibt?

27. Manchmal denken wir über den Mond nach. Was macht das Nachdenken über den Mond zu einem Nachdenken über den Mond und nicht zu einem Nachdenken über etwas anderes?

28. Nehmen wir an, die Aleuten hätten tatsächlich noch nie eine bedeutende Persönlichkeit hervorgebracht. Was vom Folgenden ist dann wahr und warum?

(a) Wenn Abraham Lincoln auf den Aleuten geboren wäre, würde er keine bedeutende Persönlichkeit gewesen sein.

(b) Wenn Abraham Lincoln auf den Aleuten geboren wäre, so würde wenigstens eine bedeutende Persönlichkeit dort geboren sein.

29. Bewegung kann keinen Anfang haben. Denn damit ein Körper einen vorgegebenen Raum (oder eine Strecke) durchmessen kann, muß er erst die Hälfte der Strecke zurückgelegt haben. Aber er kann die Hälfte nicht zurücklegen, ohne zuvor die Hälfte davon (ein Viertel) zurückgelegt zu haben; er kann das Viertel nicht zurücklegen, ohne vorher die Hälfte davon (ein Achtel) zurückgelegt zu haben; und so fort. Welchen Abstand wir auch wählen, es gibt einen anderen Abstand, der vorher zurückgelegt sein muß, und einen weiteren vor ihm und so fort. Deshalb kann Bewegung niemals einen Anfang haben.

30. Wußten Sie, daß rote Rosen in einem ganz dunklen Raum gelb werden? Natürlich werden sie gleich wieder rot, sobald sie nur einem Schimmer von Licht ausgesetzt sind.

Texte

A. *Platon, Menon*

SOKRATES: Es gibt also einige, die das Schlechte begehren?
MENON: Ja.
SOKRATES: Meinst du, daß die Betreffenden glauben, das Schlechte sei gut, oder daß sie es begehren, obwohl sie erkennen, daß es schlecht ist?
MENON: Beides, so scheint mir, kommt vor.
SOKRATES: Du meinst also, Menon, es gibt jemanden, der das Schlechte durchaus als schlecht erkennt und es gleichwohl begehrt?
MENON: Allerdings.
SOKRATES: Und was, meinst, du, begehrt er? Es zu besitzen?
MENON: Es zu besitzen. Was sonst?
SOKRATES: Und glaubt er, das Schlechte nütze dem, der es besitzt, oder glaubt er, indem er das Schlechte erkennt, daß es dem schadet, dem es anhaftet?

MENON: Es gibt wohl manche, die glauben, das Schlechte werde nützen, und andere, die erkennen, daß es schadet.

SOKRATES: Und scheint dir auch, daß diejenigen das Schlechte erkennen und bemerken, daß es schadet, die glauben, daß es nützt?

MENON: Das nun überhaupt nicht.

SOKRATES: Offenbar begehren also diejenigen, die das Schlechte verkennen, nicht einfach das Schlechte, sondern etwas, das sie für gut halten, das aber tatsächlich schlecht ist, so daß diejenigen, die das Schlechte verkennen und es für gut halten, offenbar das Gute begehren. Oder nicht?

MENON: Auf diese wenigstens scheint das zuzutreffen.

SOKRATES: Und weiter: Jene, die das Schlechte begehren und, wie du sagst, glauben, daß das Schlechte dem schadet, der es besitzt, die erkennen doch wohl auch, daß sie einen Schaden davon haben werden?

MENON: Zwangsläufig.

SOKRATES: Aber glauben sie nicht auch, daß die Geschädigten bedauernswert sind, soweit sie geschädigt werden?

MENON: Zwangsläufig auch das.

SOKRATES: Und glauben sie nicht auch, daß die Bedauernswerten unglücklich sind?

MENON: Ich denke schon.

SOKRATES: Gibt es denn irgend jemanden, der bedauernswert und unglücklich sein will?

MENON: Ich denke nicht, Sokrates.

SOKRATES: Also, Menon, wenn niemand dies will, dann will auch niemand das Schlechte. Denn bedauernswert zu sein, was ist das anderes, als das Schlechte zu begehren und es zu erlangen?

MENON: Sokrates, du scheinst recht zu haben, niemand will das Schlechte.

B. *Platon, Phaidon*

„Es ist gar nicht so schwer zu verstehen, was ich meine", antwortete Sokrates. „Wenn es zum Beispiel zwar das Einschlafen
gäbe, aber nicht das Aufwachen als zugehöriges Gegenteil, das
aus dem Schlafen entsteht, dann würde am Ende alles ein Beweis
dafür sein, daß Endymion ein bloßes Hirngespinst ist, das nirgendwo zu finden ist, weil auf alles übrige dasselbe zutreffen
würde wie auf ihn, es schliefe nämlich. Oder wenn alles immer
nur vermischt, aber niemals wieder getrennt würde, dann würde
sehr bald der Fall sein, was Anaxagoras beschrieben hat: ‚Alle
Dinge waren zusammen.' Würde nicht ebenso, mein lieber
Kebes, wenn alles, was am Leben teilhat, zwar stürbe, aber
nachdem es gestorben ist, das Tote immer in diesem Zustand
bliebe und niemals wieder lebendig würde, am Ende zwangsläufig alles tot sein und nichts mehr leben? Denn wenn das Lebende aus etwas anderem (und nicht aus dem Gestorbenen) her-
vorginge, das Lebende aber stürbe, wie wäre dann zu verhin-
dern, daß zuletzt alles dem Totsein verfiele?

C. *Platon, Theätet*

SOKRATES: Was sollen wir sagen, Theätet, wenn uns jemand
fragt: ‚Ist das auch für irgend jemanden möglich,
was ihr da sagt? Kann ein Mensch das Nichtseiende meinen, sei es mit Bezug auf Seiendes, sei
es für sich?' Wir werden darauf vermutlich sagen: ‚Ja, wenn er glaubt, und das, was er glaubt,
ist nicht wahr.' Oder was sollen wir sagen?

THEÄTET: Genau das.

SOKRATES: Tritt so etwas denn auch anderswo auf?

THEÄTET: Was denn?

SOKRATES: Daß einer etwas sieht, aber doch nichts sieht.

THEÄTET: Wie das?

SOKRATES: Gut, wenn er ein Etwas sieht, so sieht er etwas Seiendes. Oder glaubst du ein Etwas gehöre jemals zu den nichtseienden Dingen?

THEÄTET: Ich keineswegs.

SOKRATES: Wer also ein Etwas sieht, der sieht etwas Seiendes.

THEÄTET: Offenbar.

SOKRATES: Und wer etwas hört, der hört ein Etwas, und zwar etwas Seiendes.

THEÄTET: Ja.

SOKRATES: Und wer etwas berührt, der berührt doch ein Etwas, und wenn eines, dann ein Seiendes.

THEÄTET: Wiederum ja.

SOKRATES: Wer aber meint, meint der nicht auch ein Etwas?

THEÄTET: Notwendig.

SOKRATES: Und wer ein Etwas meint, meint doch etwas Seiendes?

THEÄTET: Das gebe ich zu.

SOKRATES: Wer also nicht etwas Seiendes meint, der meint nichts?

THEÄTET: Offenbar.

SOKRATES: Wer aber nichts meint, der meint überhaupt nicht.

THEÄTET: Das scheint klar.

SOKRATES: Es ist also nicht möglich, das Nichtseiende zu meinen, sei es mit Bezug auf Seiendes, sei es für sich.

D. Aristoteles, Nikomachische Ethik

Da der Ziele zweifellos viele sind und wir derer manche nur wegen anderer Ziele wollen, zum Beispiel Reichtum, Flöten und überhaupt Werkzeuge, so leuchtet ein, daß sie nicht alle Endziele sind, während doch das höchste Gut ein Endziel und etwas Vollendetes sein muß. Wenn es daher nur ein Endziel gibt, so muß dieses das Gesuchte sein, und wenn mehrere, dasjenige unter ihnen, welches im höchsten Sinne Endziel ist. Als Endziel in höherem Sinne gilt uns das seiner selbst wegen Er-

172

strebte gegenüber dem eines andern wegen Erstrebten und das, was niemals wegen eines anderen gewollt wird, gegenüber dem, was ebensowohl deswegen wie wegen seiner selbst gewollt wird, mithin als Endziel schlechthin und als schlechthin vollendet, was allezeit seinetwegen und niemals eines anderen wegen gewollt wird. Eine solche Beschaffenheit scheint aber vor allem die Glückseligkeit zu besitzen. Sie wollen wir immer wegen ihrer selbst, nie wegen eines anderen, während wir die Ehre, die Lust, den Verstand und jede Tugend zwar auch ihrer selbst wegen wollen (denn wenn wir auch nichts weiter von ihnen hätten, so würden uns doch alle diese Dinge erwünscht sein), doch wollen wir sie auch um der Glückseligkeit willen in der Überzeugung, eben durch sie ihrer teilhaftig zu werden. Die Glückseligkeit dagegen will keiner wegen jener Güter und überhaupt um keines anderen willen . . .

Also: die Glückseligkeit stellt sich dar als ein Vollendetes und sich selbst Genügendes, da sie das Endziel allen Handelns ist.

E. *Augustinus, Bekenntnisse*

Wir reden von langer und kurzer Zeit, aber das können wir nur von Vergangenheit und Zukunft sagen. Eine lange Zeit in der Vergangenheit nennen wir zum Beispiel die Zeit vor hundert Jahren, lang ebenso in der Zukunft die Zeit nach hundert Jahren . . . Aber wie kann denn lang oder kurz sein, was gar nicht ist? Denn die Vergangenheit ist nicht mehr und die Zukunft noch nicht. Wir sollten daher nicht sagen: „Die Zeit *ist* lang", sondern von der Vergangenheit: „Sie *war* lang" und von der Zukunft: „Sie *wird* lang *sein*".

. . . War eine längst vergangene Zeit erst lang, als sie bereits Vergangenheit war oder als sie noch gegenwärtig war? Denn damals konnte sie lang sein, als sie etwas war, was lang sein konnte; als Vergangenheit aber war sie nicht mehr, als solche konnte sie auch nicht lang sein, da sie ja überhaupt gar nicht war. Wir sollten also nicht sagen: „Die vergangene Zeit war lang"; denn wir werden nichts an ihr finden, was lang war, da sie ja, seitdem sie vergangen, nicht mehr ist. Vielmehr müßten wir sagen: „Jene Gegenwart war lang"; denn nur, da sie Gegenwart war, war sie lang ...

Aber ... auch nicht ein Tag ist in seiner Ganzheit gegenwärtig. Er wird von vierundzwanzig Tages- und Nachtstunden ausgefüllt; für die erste von ihnen sind alle anderen zukünftig, für die letzte alle anderen vergangen, für jede aber der dazwischenliegenden Stunden die vor ihr vergangen, die nach ihr zukünftig. Und selbst die eine Stunde verläuft in flüchtigen Augenblicken; was von ihr dahingeflogen, ist vergangen, was von ihr noch übrig ist, ist zukünftig. Könnte man sich irgendeine Zeit denken, die sich in keine, auch nicht die kleinsten Teilchen mehr teilen läßt, so kann man diese allein Gegenwart nennen; und doch geht auch dieses Zeitteilchen so schnell aus der Zukunft in die Vergangenheit über, daß es sich auch nicht einen Augenblick über seine Dauer hinaus ausdehnen läßt. Denn wenn es über seine Dauer hinaus sich ausdehnen ließe, so würde es wieder in Vergangenheit und Zukunft geteilt werden; für die Gegenwart aber bliebe dann kein Raum. Wo ist also die Zeit, die wir lang nennen können?

F. *Anselm von Canterbury, Proslogion*

Also, Herr, der Du die Glaubenseinsicht gibst, verleihe mir, daß ich, soweit Du es nützlich weißt, einsehe, daß Du bist, wie wir glauben, und das bist, was wir glauben. Und zwar glauben wir, daß Du etwas bist, über dem nichts Größeres gedacht werden kann.

Gibt es also ein solches Wesen nicht, weil „der Tor in seinem Herzen gesprochen hat: es ist kein Gott"? (Psalm 14,1) Aber sicherlich, wenn dieser Tor eben das hört, was ich sage: „etwas, über dem nichts Größeres gedacht werden kann", versteht er, was er hört; und was er versteht, ist in seinem Verstande, auch wenn er nicht einsieht, daß dies existiert.

... So wird also auch der Tor überführt, daß wenigstens im Verstande etwas ist, über dem nichts Größeres gedacht werden kann, weil er das versteht, wenn er es hört, und was immer verstanden wird, ist im Verstande. Und sicherlich kann „das, über dem Größeres nicht gedacht werden kann", nicht im Verstande allein sein. Denn angenommen, es ist allein im Verstande, so kann gedacht werden, daß es auch in Wirklichkeit existiere – was größer ist.

Wenn also „das, über dem Größeres nicht gedacht werden kann", im Verstande allein ist, so ist eben „das, über dem Größeres nicht gedacht werden kann", über dem Größeres gedacht werden kann. Das aber kann gewiß nicht sein. Es existiert also ohne Zweifel „etwas, über dem Größeres nicht gedacht werden kann", sowohl im Verstande als auch in Wirklichkeit.

G. *Thomas von Aquin, Summa Theologiae*

Der zweite Weg (Gottes Existenz zu beweisen) geht vom Gedanken der Wirkursachen aus. Wir stellen nämlich fest, daß es in der sichtbaren Welt eine Über- und Unterordnung von Wirkursachen gibt; dabei ist es niemals festgestellt worden und ist auch nicht möglich, daß etwas seine eigene Wirk- oder Entstehungsursache ist. Denn dann müßte es sich selbst im Sein vorausgehen, und das ist unmöglich. Es ist aber ebenso unmöglich, in der Über- und Unterordnung von Wirkursachen ins Unendliche zu gehen, sowohl nach oben als nach unten. Denn in dieser Ordnung von Wirkursachen ist das Erste die Ursache des Mittleren und das Mittlere die Ursache des Letzten, ob nun viele Zwischenglieder sind oder nur eines. Mit der Ursache aber fällt auch die Wirkung. Gibt es also kein Erstes in dieser Ordnung, dann kann es auch kein Letztes oder Mittleres geben. Lassen wir die Reihe der Ursachen aber ins Unendliche gehen, dann kommen wir nie an eine erste Ursache und so werden wir weder eine letzte Wirkung noch Mittel-Ursachen haben. Das widerspricht aber den offenbaren Tatsachen. Wir müssen also notwendig eine erste Wirk- oder Entstehungsursache annehmen: und die wird von allen „Gott" genannt.

H. *Descartes, Meditationen über die Grundlagen der Philosophie*

Nun bin ich aber doch ein Mensch, der des Nachts zu schlafen pflegt, und dem dann genau dieselben, ja bisweilen noch weniger wahrscheinliche Dinge im Traum begegnen, wie den Irren im Wachen! Wie oft doch kommt es vor, daß ich all jene gewöhnlichen Begegnisse, mir während der Nachtruhe einbilde: wie daß ich hier bin, daß ich, mit meinem Rocke bekleidet, am Kamin sitze, obgleich ich doch entkleidet im Bette liege! Aber jetzt schaue ich doch sicher mit wachen Augen auf dieses Papier, dies Haupt, das ich hin und her bewege, ist doch nicht im Schlaf, mit Vorbedacht und Bewußtsein strecke ich meine Hand aus und fühle das. Im Schlafe würde mir das doch nicht so deutlich entgegentreten. Doch spreche ich so, als wenn ich mich nicht entsänne, daß ich auch sonst durch ähnliche Gedankengänge im Traum irregeführt worden bin! Denke ich einmal aufmerksamer darüber nach, so sehe ich ganz klar, daß niemals Wachen und Traum nach sicheren Kennzeichen unterschieden werden können, — so daß ich ganz betroffen bin, und diese Betroffenheit selbst mich beinahe in der Meinung bestärkt, daß ich träume.

I.1 *Descartes, Meditationen über die Grundlagen der Philosophie*

Und da ich ja erstlich weiß, daß alles, was ich klar und deutlich denke, in der Weise von Gott geschaffen werden kann, wie ich es denke, so genügt es für mich, ein Ding ohne ein anderes klar und deutlich denken zu können, um mir die Gewißheit zu geben, daß das eine vom anderen verschieden ist, da wenigstens

Gott es getrennt setzen kann. Auch kommt es nicht darauf an, durch welche Macht dies geschieht, damit man sie für verschieden hält. Daraus also, daß ich weiß, ich existiere und daß ich inzwischen bemerke, daß durchaus nichts anderes zu meiner Natur oder Wesenheit gehöre, als allein, daß ich ein denkendes Ding bin, schließe ich mit Recht, daß meine Wesenheit allein darin besteht, daß ich ein denkendes Ding bin. Und wenngleich ich vielleicht ... einen Körper habe, der mit mir sehr eng verbunden ist, so ist doch, – da ich ja einerseits eine klare und deutliche Idee meiner selbst habe, sofern ich nur ein denkendes, nicht ein ausgedehntes Ding bin, und andrerseits eine deutliche Idee vom Körper, sofern er nur ein ausgedehntes, nicht denkendes Ding ist – soviel gewiß, daß dies „Ich" (das sozusagen meine Seele ist, kraft deren ich bin, was ich bin) gänzlich und wahrhaft verschieden ist von meinem Körper und ohne ihn existieren kann.

I.2 *d'Holbach, System der Natur*

Die Wesen der menschlichen Gattung sind ... zu zwei Arten von Bewegungen fähig; die eine Art bilden die Bewegungen von Masse; dabei werden der ganze Körper oder einige seiner Teile sichtbar von einem Ort zu einem anderen gebracht; die andere Art bilden die inneren und verborgenen Bewegungen, von denen wir einige wahrnehmen können, während andere sich ohne unser Wissen vollziehen und sich nur durch die Wirkungen erraten lassen, die sie nach außen hin hervorrufen. In einer Maschine, die so außerordentlich komplex ist wie der Mensch, die durch die Verbindung einer großen Anzahl von Stoffen gebildet und in Bezug auf die Eigentümlichkeiten, auf die Beziehungen, auf die Wirkungsarten mannigfaltig ist, werden die Bewegungen notwendig sehr kompliziert sein; ihre Langsamkeit sowohl wie ihre Schnelligkeit entziehen sich oft den Beobachtungen desjenigen, in dem sie vor sich gehen.
Wir dürfen uns nicht wundern, daß der Mensch auf so viel

Hindernisse stieß, sobald er sich Rechenschaft über seine Seinsweise und seine Wirkungsart geben wollte, und daß er so sonderbare Hypothesen erfand, um die verborgenen Spiele seiner Maschine zu erklären, die er auf eine Art und Weise sich bewegen sah, die ihm so verschieden von derjenigen der anderen Dinge der Natur erschien ... Er glaubte in sich selbst eine von ihm verschiedene, mit einer geheimen Kraft begabte Substanz zu bemerken, an der er Merkmale vermutete, die gänzlich verschieden waren von denen der sichtbaren Ursachen, die auf seine Organe wirkten, oder verschieden von den Merkmalen dieser Organe selbst ... Weil er also über die Natur nicht nachdachte; weil er sie nicht unter den richtigen Gesichtspunkten betrachtete; weil er nicht die Übereinstimmung und die Gleichzeitigkeit der Bewegungen dieses vorgeblichen Bewegungsprinzips und der Bewegungen seines Körpers und seiner materiellen Organe bemerkte: glaubte er, daß er nicht nur ein besonderes Ding sei, sondern daß er auch von einer anderen Natur sei als alle die Dinge der Natur, daß er ein reineres Wesen habe und daß er nichts mit alledem gemeinsam hätte, was er sah.

Auf diese Weise sind nach und nach die Begriffe der *Spiritualität*, der *Immaterialität*, der *Unsterblichkeit* und alle die unbestimmten Wörter entstanden, die man nach und nach ausklügelte, um die Attribute der unbekannten Substanz zu bezeichnen, die der Mensch in sich zu haben glaubte.

J. *Locke, Versuch über den menschlichen Verstand*

Das mag uns zeigen, worin die Identität der Person besteht. Sie besteht nämlich nicht in der Identität der Substanz, sondern, wie ich sagte, in der Identität des Bewußtseins. Wenn Sokrates und der gegenwärtige Bürgermeister von Queinborough hierin übereinstimmen, so sind sie dieselbe Person. Wenn derselbe Sokrates im Wachen und im Schlafen nicht an demselben Bewußtsein teilhat, dann sind der wachende und der schlafende Sokrates nicht dieselbe Person. Es wäre ebenso ungerecht, den wachenden Sokrates für das, was der schlafende dachte und was dem wachenden nie bewußt wurde, zu bestrafen, wie einen von zwei Zwillingen für die ihm unbekannten Taten des anderen zu Rechenschaft zu ziehen, weil ihre äußere Erscheinung sich so ähnelt, daß man sie nicht unterscheiden kann. Solche Zwillinge hat es nämlich schon gegeben.

K. *Locke, Versuch über den menschlichen Verstand*

Infolge häufigen Gebrauchs rufen die Wörter bei den Menschen so regelmäßig und so schnell bestimmte Ideen wach, daß sie leicht versucht sind, einen natürlichen Zusammenhang zwischen beiden anzunehmen. Daß die Wörter jedoch nur die besonderen menschlichen Ideen bezeichnen, und zwar *auf Grund einer durchaus willkürlichen Festlegung,* erhellt sich aus folgendem: Die Wörter rufen häufig bei anderen (auch wenn sie dieselbe Sprache sprechen) tatsächlich nicht die Ideen hervor, als deren Zeichen sie uns gelten. Auch besitzt jedermann eine so unverletzliche Freiheit, die Wörter nach Gutdünken für jede beliebige Idee zu verwenden, daß kein Mensch die Macht besitzt, andere zu veranlassen, dieselben Ideen im Sinne zu haben wie er, wenn sie dieselben Wörter benutzen wie er ... Freilich weist in allen Sprachen der Sprachgebrauch durch stillschweigende Vereinbarung bestimmte Laute bestimmten Ideen zu; hierdurch wird zwar die Bedeutung des betreffenden Lautes insoweit beschränkt, als niemand richtig spricht, der diesen Laut nicht auf dieselbe Idee bezieht ... Was aber auch daraus folgen möge, wenn jemand Wörter so verwendet, daß sie entweder von ihrer allgemeinen Bedeutung oder von dem besonderen Sinn, der ihnen beim Angeredeten zukommt, abweichen, eines ist gewiß: ihre Bedeutung ist auf die Ideen dessen beschränkt, der sie gebraucht, und für nichts anderes können sie als Zeichen dienen.

Ich meinesteils kann, wenn ich mir das, was ich als „mich"
bezeichne, so unmittelbar als irgend möglich vergegenwärtige,
nicht umhin, jedesmal über die eine oder die andere bestimmte
Perzeption zu stolpern, die Perzeption der Wärme oder Kälte,
des Lichtes oder Schattens, der Liebe oder des Hasses, der Lust
oder Unlust. Niemals treffe ich *mich* ohne eine Perzeption an
und niemals kann ich etwas anderes beobachten als eine Perzeption. Wenn meine Perzeptionen eine Zeitlang nicht da sind,
wie während des tiefen Schlafes, so bin ich ebensolange „*meiner
selbst*" unbewußt, man hat dann ein Recht zu sagen, daß „ich"
nicht existiere. Und wenn meine Perzeptionen mit dem Tode
aufhörten, und ich nach der Auflösung meines Körpers weder
denken noch fühlen noch sehen, weder lieben noch hassen könnte,
so würde ich vollkommen vernichtet sein; ich kann nicht einsehen, was weiter erforderlich sein sollte, um mich zu etwas
vollkommen „Nichtseiendem" zu machen. Wenn jemand nach
ernstlichem und vorurteilslosem Nachdenken eine andere Vorstellung von „*sich selbst*" zu haben meint, so bekenne ich, daß
ich mit ihm nicht länger zu streiten weiß ... Er nimmt vielleicht
etwas Einfaches und Dauerndes in sich wahr, was er „*sich selbst*"
nennt; darum bin ich doch gewiß, daß sich in mir kein derartiges
Moment findet.

Wenn ich aber von einigen Metaphysikern, die sich eines
solchen Ichs zu erfreuen meinen, absehe, so kann ich wagen, von
allen übrigen Menschen zu behaupten, daß sie nichts sind als
ein Bündel oder ein Zusammen verschiedener Perzeptionen, die
einander mit unbegreiflicher Schnelligkeit folgen und beständig
in Fluß und Bewegung sind ... Der Geist ist eine Art Theater,
auf dem verschiedene Perzeptionen nacheinander auftreten,
kommen und gehen, und sich in unendlicher Mannigfaltigkeit der
Stellungen und Arten der Anordnung untereinander mengen. Es
findet sich in ihm in Wahrheit weder in einem einzelnen Zeitpunkt Einfachheit noch in verschiedenen Zeitpunkten Identität;
sosehr wir auch von Natur geneigt sein mögen, uns eine solche

Einfachheit und Identität einzubilden. Der Vergleich mit dem Theater darf uns freilich nicht irre führen. Die einander folgenden Perzeptionen sind allein das, was den Geist *ausmacht*, während wir ganz und gar nichts von einem Schauplatz wissen, auf dem sich jene Szenen abspielten, oder von einem Material, aus dem dieser Schauplatz gezimmert wäre.

L.2 *Reid, Essays über die geistigen Kräfte des Menschen*

Meine persönliche Identität ... schließt ein, daß dieses Unteilbare, das ich mein *Selbst* nenne, beständig existiert. Was dieses Selbst auch sein mag, es ist jedenfalls etwas, das denkt, abwägt und entscheidet, das handelt und leidet ... Meine Gedanken, Handlungen, Empfindungen wechseln jeden Augenblick; sie existieren nicht beständig, sondern nacheinander; dies *Selbst* aber, oder das *Ich*, zu dem sie gehören, ist dauerhaft und hat immer dieselbe Beziehung zu all den einander folgenden Gedanken, Handlungen, Empfindungen, die ich als meine bezeichne ...

... den eigentlichen Beweis für all dies liefert mir die *Erinnerung*. Ich erinnere mich, vor zwanzig Jahren mich mit einem Menschen unterhalten zu haben; ich erinnere mich an verschiedenes, was in dieser Unterhaltung geschah; mein Gedächtnis bezeugt nicht nur, daß es getan wurde, sondern daß *ich* es war, der es tat und der sich jetzt daran erinnert. Wenn ich es tat, dann muß ich damals existiert haben und weiterhin existieren, von damals bis heute. Wenn dieselbe Person, die ich mein Selbst nenne, an der Unterhaltung nicht teilgenommen hätte, dann wäre meine Erinnerung falsch – sie legte deutlich und positiv von etwas Zeugnis ab, was nicht wahr ist. Jeder, der bei Sinnen ist, glaubt, woran er sich deutlich erinnert, und alles, was er erinnert, überzeugt ihn davon, daß er zu der erinnerten Zeit existierte.

M.1 Locke, Brief an den Bischof von Worcester

„Alles, was einen Anfang hat, muß eine Ursache haben", das ist ein wahrer Grundsatz der Vernunft beziehungsweise eine Aussage, die unbestreitbar wahr ist. Zu ihrer Erkenntnis kommen wir ... indem wir unsere Ideen betrachten und einsehen, daß die Idee, daß etwas anfängt zu sein, notwendig mit der Idee eines Wirkens verbunden ist; und die Idee des Wirkens mit der Idee von etwas, das wirkt; dies wiederum nennen wir eine Ursache. Also sieht man, daß das ‚zu sein anfangen' der Idee einer Ursache entspricht, wie in der Aussage ausgedrückt wird. Und so wird sie zu einer unbestreitbaren Aussage, die man einen Grundsatz der Vernunft nennen kann, wie jede wahre Aussage, deren Gewißheit man einsieht.

M.2 Hume, Ein Traktat über die menschliche Natur

... so ist es ein in der Philosophie allgemein angenommener Grundsatz, daß, *was zu existieren anfängt, einen Grund seiner Existenz haben müsse.* Diese Regel pflegt in unseren Urteilen als selbstverständlich vorausgesetzt zu werden; man gibt weder, noch verlangt man einen Beweis dafür ...

Es gibt aber ein Argument, das beweist, daß der oben aufgestellte Satz weder intuitiv noch demonstrativ gewiß ist. Wir können niemals beweisen, daß jede neue Existenz oder jede Veränderung eines Existierenden eine Ursache haben müsse, ohne zu gleicher Zeit nachzuweisen, daß unmöglich irgend etwas *ohne* ein hervorbringendes Prinzip anfangen könne zu existieren; können wir die letztere Behauptung nicht beweisen, so müssen wir die Hoffnung aufgeben, daß wir jemals imstande sein werden, die erstere zu beweisen. Daß nun die letztere Annahme keinen auf Demonstration beruhenden Beweis zuläßt, davon können wir uns durch folgende Erwägung überzeugen: Da alle von einander verschiedenen Ideen voneinander trennbar sind, die Idee einer Ursache aber von der Idee ihrer Wirkung augenscheinlich verschieden ist, so fällt es uns leicht, einen Gegenstand in diesem Augenblick als nichtexistierend und im nächsten als existierend zu denken, ohne daß wir damit die neue Idee einer Ursache oder eines hervorbringenden Prinzips verbinden. Es ist also zweifellos möglich, die Idee einer Ursache in der Einbildungskraft von der des Anfangs einer Existenz zu trennen; folglich ist auch die tatsächliche Trennung dieser Gegenstände möglich, in dem Sinne nämlich, daß sie keinen Widerspruch und keine Absurdität in sich schließt; sie kann nicht durch eine Überlegung, die bloß auf der Natur der Idee beruht, als unmöglich erwiesen werden; ohne dies aber besteht keine Möglichkeit, die Notwendigkeit einer Ursache zu demonstrieren.

So finden wir denn auch bei näherer Untersuchung, daß jeder demonstrative Beweis, der für die Notwendigkeit von Ursachen vorgebracht worden ist, trügerisch und sophistisch ist.

N. *Mill, Der Utilitarismus*

Der einzige Beweis dafür, daß ein Gegenstand sichtbar ist, ist, daß man ihn tatsächlich sieht. Der einzige Beweis dafür, daß ein Ton hörbar ist, ist, daß man ihn hört. Und dasselbe gilt für die anderen Quellen unserer Erfahrung. Ebenso wird der einzige Beweis dafür, daß etwas wünschenswert ist, der sein, daß die Menschen es tatsächlich wünschen. Wäre der Zweck, den sich die utilitaristische Theorie setzt, nicht schon in Theorie und Praxis als Zweck anerkannt, könnte einen nichts davon überzeugen, daß dies wirklich der Zweck ist. Dafür, daß das allgemeine Glück wünschenswert ist, läßt sich kein anderer Grund angeben, als daß jeder sein eigenes Glück erstrebt, insoweit er es für erreichbar hält. Da dieses jedoch eine Tatsache ist, haben wir damit nicht nur den ganzen Beweis, den der Fall zuläßt, sondern alles, was überhaupt als Beweisgrund dafür verlangt werden kann, daß Glück ein Gut ist: nämlich daß das Glück jedes einzelnen für diesen ein Gut ist und daß daher das allgemeine Glück ein Gut für die Gesamtheit der Menschen ist.

Damit hat das Glück seinen Anspruch begründet, *einer der* Zwecke des Handelns und folglich eines der Kriterien der Moral zu sein.

O. *Russell, Probleme der Philosophie*

Man sagt manchmal „Licht *ist* eine Wellenbewegung bzw. Schwingung", aber das ist eine irreführende Ausdrucksweise. Das Licht, das wir unmittelbar sehen, das wir vermittels unserer Sinne erkennen, ist *nicht* eine Art von Wellenbewegung, sondern etwas ganz anderes – etwas, das wir alle kennen, wenn wir nicht blind sind, obgleich wir es nicht so beschreiben können, daß wir einem Blinden unser Wissen mitteilen könnten. Eine Wellenbewegung hingegen könnte man einem Blinden durchaus beschreiben, weil er den Raum durch seinen Tastsinn kennenlernen kann, und außerdem würde er auf einer Seereise die Wellenbewegung fast ebenso erleben wie wir. Aber was ein Blinder verstehen kann, ist nicht das, was wir mit „Licht" meinen: Licht ist für uns genau das, was ein Blinder niemals verstehen kann, und was wir ihm auch nicht beschreiben können.

P: *Russell, Probleme der Philosophie*

Nehmen wir einen Satz wie „Edinburgh liegt nördlich von London." Hier haben wir eine Beziehung zwischen zwei Orten, und es scheint klar, daß diese Beziehung unabhängig davon besteht, ob wir sie erkennen oder nicht. Wenn wir erkennen, daß Edinburgh nördlich von London liegt, erkennen wir etwas, das nur Edinburgh und London betrifft – wir machen den Satz nicht dadurch wahr, daß wir ihn erkennen; im Gegenteil, wir erfahren nur von einem Sachverhalt, den es gab, bevor wir von ihm wußten. Der Teil der Erdoberfläche, auf dem Edinburgh steht, würde auch dann nördlich von dem Teil, auf dem London steht, liegen, wenn es überhaupt kein menschliches Wesen gäbe, das etwas von Norden oder Süden wüßte, ja selbst dann, wenn es im ganzen Universum kein Bewußtsein gäbe ...

Dieser Folgerung steht jedoch der Umstand im Wege, daß die Beziehung „nördlich von" nicht in demselben Sinne zu *existieren* scheint wie die Städte Edinburgh und London. Wenn wir fragen „Wann und wo existiert diese Beziehung?", dann müssen wir antworten „Niemals und nirgendwo!" Es gibt keinen Zeitpunkt und keinen Ort, wo wir die Beziehung „nördlich von" finden könnten. Sie existiert weder in Edinburgh noch in London, denn sie verbindet die beiden, ohne mehr zum einen als zum anderen zu gehören. Und wir können auch nicht sagen, daß sie zu irgendeiner bestimmten Zeit existiert. Nun existiert aber alles, was uns durch die Sinne oder durch Introspektion zugänglich ist, während eines ganz bestimmten, angebbaren Zeitabschnitts. Und deshalb ist die Beziehung „nördlich von" von solchen Dingen radikal verschieden. Sie ist weder in Raum und Zeit, noch ist sie materiell oder bewußtseinshaft, und doch ist sie etwas.

Q.   *C. S. Lewis, Wunder*

Man kann in der Tat als Regel aufstellen, daß *kein Gedanke gültig ist, wenn er völlig erklärt werden kann als Ergebnis irrationaler Gründe.* Jeder Leser dieses Buches wendet diese Regel automatisch tagaus, tagein an. Sagt dir ein nüchterner Mann, daß das Haus voll von Ratten oder Schlangen sei, so schenkst du ihm Beachtung; ist dir jedoch bekannt, daß sein Glaube an Ratten und Schlangen vom *delirium tremens* kommt, so gibst du dir nicht einmal die Mühe, nachzuschauen. Selbst wenn man einen irrationalen Grund auch nur *argwöhnt*, so beginnt man dem Glauben eines Mannes weniger Beachtung zu schenken; die pessimistische Ansicht deines Bekannten über die europäische Situation beunruhigt dich weniger, wenn du entdeckt hast, daß er an einer schlimmen Leber-Attacke laboriert. Und umgekehrt, wenn wir entdecken, daß eine Ansicht falsch ist, so schauen wir uns zuerst nach irrationalen Gründen um („Ich war ermüdet" –

„Ich war in Eile" – „Ich wünschte es zu glauben") ... Alle so verursachten Gedanken sind wertlos. In unserem gewöhnlichen Denken lassen wir keinerlei Ausnahme von dieser Regel zu.

Nun wäre es ja offensichtlich verkehrt, diese Regel auf jeden besonderen Gedanken, wie er uns in den Weg kommt, anzuwenden, sie aber auf alle Gedanken zusammengenommen nicht anzuwenden, das heißt, nicht auf das menschliche Denken im ganzen. Jeder besondere Gedanke ist wertlos, falls er das Ergebnis irrationaler Ursachen ist. Selbstverständlich muß dann der gesamte Prozeß des menschlichen Denkens, was wir *Vernunft* nennen, gleicherweise wertlos sein, falls er das Ergebnis irrationaler Ursachen ist. Darum ist jegliche Theorie des Universums, welche den menschlichen Verstand zu einem Ergebnis irrationaler Ursachen macht, unzulässig; denn sie wäre ein Beweis, daß es keine Beweise gäbe. Was ein Unsinn ist.

Doch der Naturalismus, so wie er gewöhnlich begriffen wird, ist gerade eine Theorie dieser Art. Der Verstand wird, wie jedes andere Ding oder Geschehen, einfach für ein Produkt des Totalsystems gehalten. Er soll das sein und nichts mehr, er soll keinerlei Kraft haben, „auf eigene Faust vorzuschreiten". Und das totale System wird nicht als rational angenommen. Jegliche Gedanken sind demnach Ergebnisse irrationaler Ursachen, und nichts mehr als das.

R.1 *Moore, Principia Ethica*

Falls es nicht stimmt, daß ‚gut' etwas Einfaches und Undefinierbares bezeichnet, sind in der Tat nur zwei Alternativen möglich: entweder ist es ein komplexes, gegebenes Ganzes, über dessen korrekte Analyse Meinungsverschiedenheiten bestehen können, oder es bedeutet überhaupt nichts ...

Die Hypothese, eine Meinungsverschiedenheit über die Bedeutung von gut sei eine Meinungsverschiedenheit über die richtige Analyse eines gegebenen Ganzen, stellt sich sehr leicht als unzutreffend heraus, wenn wir überlegen, daß bei jeglicher angebotenen Definition angesichts des definierten Ganzen stets zu Recht gefragt werden kann, ob es selbst gut ist. Um einmal eine der einleuchtenderen, weil komplizierteren, vorgeschlagenen Definitionen zu betrachten: man könnte auf den ersten Blick leicht meinen, daß gut sein soviel bedeuten kann wie dasjenige sein, was wir zu begehren begehren. Wenn wir hiernach diese Definition auf einen konkreten Fall anwenden und sagen ‚Wenn wir A für gut halten, so glauben wir, daß A eines der Dinge ist, die wir zu begehren begehren‘, dann erscheint unser Satz recht plausibel. Wenn wir aber die Untersuchung fortführen und uns fragen ‚Ist es gut zu begehren, daß wir A begehren?‘, so wird nach kurzer Überlegung klar, daß diese Frage selbst ebenso einsichtig ist wie die ursprüngliche Frage ‚Ist A gut?‘. Wir fragen im Grunde nun nach genau derselben Information über das Begehren, A zu begehren, nach welcher wir vorher bezüglich A selbst fragten.

Dieselbe Überlegung genügt, um die Hypothese aufzugeben, ‚gut‘ bedeute überhaupt nichts . . .

Wer sorgsam prüft, was er sich vorstellt, wenn er fragt ‚Ist Lust (oder was immer es sein mag) letzten Endes gut?‘ wird sich leicht vergewissern, daß er sich nicht bloß fragt, ob Lust lustvoll ist . . .

Jeder versteht sehr wohl die Frage ‚Ist dies gut?‘ Wenn er daran denkt, ist sein Geisteszustand anders, als wenn er gefragt würde ‚Ist dies lustvoll oder erwünscht oder bewährt?‘ Es hat eine eigene Bedeutung für ihn, selbst wenn er vielleicht nicht erkennt, worin diese Eigenheit besteht . . .

‚Gut‘ ist also undefinierbar.

R.2   *Ayer, Sprache, Wahrheit und Logik*

Wir beginnen mit dem Eingeständnis, daß die ethischen Grundbegriffe nicht analysierbar sind, da es kein Kriterium gibt, mittels dessen man die Gültigkeit der sie enthaltenden Urteile prüfen kann. Insoweit stimmen wir mit den Absolutisten überein. Wir sind aber – im Unterschied zu den Absolutisten – in der Lage, eine Erklärung dieser Tatsache bezüglich ethischer Begriffe zu geben. Wir nennen als Grund ihrer Nichtanalysierbarkeit, daß sie nur Pseudobegriffe sind. Das Vorhandensein eines ethischen Symbols in einer Proposition fügt ihrem tatsächlichen Inhalt nichts hinzu. Wenn ich daher zu jemand sage „Du tatest Unrecht, als du das Geld stahlst", dann sage ich nicht mehr aus, als ob ich einfach gesagt hätte „Du stahlst das Geld". Indem ich hinzufüge, daß diese Handlung unrecht war, mache ich über sie keine weitere Aussage. Ich zeige damit nur meine moralische Mißbilligung dieser Handlung. Es ist so, als ob ich „Du stahlst das Geld" in einem besonderen Tonfall des Entsetzens gesagt oder unter Hinzufügung einiger besonderer Ausrufezeichen geschrieben hätte. Der Tonfall oder die Ausrufezeichen fügen der Bedeutung des Satzes nichts hinzu. Sie dienen nur dem Hinweis, daß sein Ausdruck von gewissen Gefühlen des Sprechers begleitet wird.

S.1   *Ayer, Das Problem der Erkenntnis*

Zum Beispiel: Ich sitze an einem Weinberg, und ich kann ehrlich behaupten zu wissen, daß es da, wenige Meter von mir entfernt, eine Menge Trauben gibt. Aber selbst wenn ich so eine einfache Aussage mache wie ‚Da sind eine Menge Trauben', eine Aussage, die so offensichtlich ist, daß sie in gewönlichen Unterhaltungen (im Gegensatz, sagen wir, zu einer Deutschstunde) niemals gemacht würde, gehe ich damit doch in einem gewissen Sinn über meine Evidenz hinaus. Ich kann die Trauben sehen; aber ich müßte unter entsprechenden Bedingungen auch imstande sein, sie zu berühren. Es sind nicht wirkliche Trauben, wenn man sie nicht berühren kann; aber aus der Tatsache, daß ich eben diesen optischen Eindruck habe, folgt nicht – so sollte man glauben – was ich berühren oder nicht berühren kann. Auch ist es nicht damit getan, daß ich die Trauben sehen und berühren kann; andere Leute müssen sie ebenfalls wahrnehmen können.

Gäbe es Gründe zu glauben, daß niemand sonst, unter entsprechenden Bedingungen, sie sehen und berühren kann, dann könnte ich mit Recht schließen, daß ich einer Halluzination erlegen bin. Demnach mag meine Grundlage für diese Behauptung zwar vielleicht sehr stark, ja so stark sein, daß sie einen Anspruch auf Wissen rechtfertigt, aber sie ist nicht schlüssig. Nach diesem Argument könnte meine Erfahrung genau die gleiche sein, selbst wenn die Trauben, die ich wahrzunehmen glaube, in Wirklichkeit nicht existieren.

S.2 *Austin, Sinn und Sinneserfahrung*

... wenn ich eine Zeitlang bei gutem Wetter ein Tier wenige Meter von mir beobachte, wenn ich es vielleicht anstubse, daran rieche und auf die Töne lausche, die es von sich gibt, mag ich vielleicht sagen, „das ist ein Schwein", und dies wird ebenso „unkorrigierbar" sein – denn man könnte nichts vorzeigen, um mir einen Irrtum nazuweisen...

Die Situation, in der man richtigerweise sagen würde, daß ich *Evidenz* für die Aussage habe, daß ein Tier ein Schwein ist, ist zum Beispiel die, in der ich das Vieh nicht tatsächlich sehe, wohl aber seine Hufabdrücke auf dem Boden vor seinem Stall. Finde ich ein paar Eimer mit Schweinefutter, so ist das weitere Evidenz, und seine Geräusche und sein Geruch mag mir noch bessere geben. Aber, wenn das Tier dann herauskommt und voll sichtbar vor mir steht, dann ist es keine Frage der Ansammlung von Evidenz mehr: sein Erscheinen ist kein weiteres Anzeichen dafür, daß es ein Schwein ist, sondern ich kann dies jetzt einfach *sehen*; die Frage ist erledigt.

Literaturhinweise zu den Texten

A. Platon, *Menon* (77c–78b), in: *Sämtliche Werke in drei Bänden,* Heidelberg: Lambert Schneider 1982, Bd. 1, S. 423 f., dt. von L. Gregorii.
    Die zitierten Texte A und B im vorliegenden Buch geben jedoch die unveröffentlichte Übersetzung von H.-P. Schütt wieder.

B. Platon, *Phaidon* (72b–72d), Stuttgart: Reclam 1984, S. 40 f., dt. von F. Schleiermacher. (Siehe oben unter A.)

C. Platon, *Theätet* (188d–189b), in: *Sämtliche Werke,* Zürich: Artemis 1974, S. 83 f., dt. von R. Rufener.

D. Aristoteles, *Nikomachische Ethik* (1. Buch, 5. Kap., 1097 a, b), Hamburg: Meiner 1985, S. 10 f., dt. von E. Rolfes.

E. Augustinus, Bekenntnisse (Bek. XI, 15), Kempten: Kösel 1914, S. 283 ff., dt. von A. Hoffmann.

F. Anselm von Canterbury, *Proslogion* (2. Kap., op. omnia p. 101 f.), Stuttgart: Frommann 1984, S. 85 ff., dt. von P. F. S. Schmitt.

G. Thomas von Aquin, *Summa Theologiae* (Teil I, Qu. 2.3), Salzburg: Pustet o. J., Bd. 1, S. 46, dt. von Dominikanern und Benediktinern Deutschlands und Österreichs.

H. Descartes, *Meditationen über die Grundlagen der Philosophie* (1. Medit., Abs. 7), Hamburg: Meiner 1972, S. 12 f., dt. von A. Buchenau.

I.1 Descartes, *Meditationen über die Grundlagen der Philosophie* (6. Medit., Abs. 17), Hamburg: Meiner 1972, S. 67, dt. von A. Buchenau.

I.2 Holbach, Paul Henri Thiry Baron d', *System der Natur* (1. Teil, VI. Kap.), Frankfurt: Suhrkamp (stw) 1978, S. 72 f., dt. von F.-G. Voigt.

J. Locke, John, *Versuch über den menschlichen Verstand* (Buch II, Kap. 27, Abs. 19), Hamburg: Meiner 1981, Bd. 1, S. 429, dt. von C. Winckler.

K. Locke, John, *Versuch über den menschlichen Verstand* (Buch III, Kap. 2, Abs. 8), Hamburg: Meiner 1981, Bd. 2, S. 9, dt. von C. Winckler.

L.1   Hume, David, *Über den Verstand* (I, 4.6), in: *Ein Traktat über die menschliche Natur*, Hamburg: Meiner 1978, S. 326 f., dt. von Th. Lipps.

L.2   Reid, Thomas, *Essays on the Intellectual Powers of Man* (Essay 3, Kap. 4), in: *Inquiry and Essays*, Indianapolis: Bobbs-Merrill 1975, S. 212.

M.1   Locke, John, *Letter to the Right Rev. Edward Lord Bishop of Worcester*, in: The Works of John Locke in 10 vols., Aalen: Scientia 1963 (Repr.), Bd. 4, S. 61 f.

M.2   Hume, David, *Über den Verstand* (I, 3.3), in: *Ein Traktat über die menschliche Natur*, Hamburg: Meiner 1978, S. 106 f.

N.   Mill, John Stuart, *Der Utilitarismus* (4. Kap.), Stuttgart: Reclam 1976, S. 60 f., dt. von D. Birnbacher.

O.   Russell, Bertrand, *Probleme der Philosophie* (3. Kap.), Frankfurt: Suhrkamp (es) 1984, S. 27, dt. von E. Bubser.

P.   Russell, Bertrand, *Probleme der Philosophie* (9. Kap.), Frankfurt: Suhrkamp (es) 1984, S. 86 f., dt. von E. Bubser.

Q.   Lewis, C. S., *Wunder* (3. Kap.), Köln: Hegner 1952, S. 27 f., dt. von S. v. Radecki.

R.1   Moore, George Edward, *Principia Ethica* (Kap. I, B. 13), Stuttgart: Reclam 1970, S. 46 ff., dt. von B. Wisser.

R.2   Ayer, Alfred Jules, *Sprache Wahrheit und Logik* (Kap. VI), Stuttgart: Reclam 1981, S. 141, dt. von H. Herring.

S.1   Ayer, Alfred Jules, *The Problem of Knowledge* (2. IV), Harmondsworth: Penguin 1984, S. 56 f.

S.2   Austin, John L., *Sinn und Sinneserfahrung* (10. Kap.), Stuttgart: Reclam 1975, S. 144 ff., dt. von E. Cassirer.

(Die Texte L.2, M.1 und S.1 wurden von Brigitte Flickinger ins Deutsche übertragen sowie alle übrigen Texte durchgesehen und, wo es nötig war, dem englischen Zitat entsprechend bearbeitet.)

Personen und Sachregister

Eugen Fink
Hegel

Phänomenologische Interpretationen der
„Phänomenologie des Geistes"
3., unveränderte Auflage 2012. X, 362 Seiten
ISBN 978-3-465-04142-9
Klostermann RoteReihe Band 45

Eugen Fink war Schüler von Husserl und Heidegger
und von 1948 bis zu seiner Emeritierung 1971
Professor für Philosophie an der Universität
Freiburg i. Br. Dieses Buch ist das Resultat von
Vorlesungen, in denen Eugen Fink den Denkweg
der *Phänomenologie des Geistes* nachgeht. Er
setzt dabei nicht nur das in der Phänomenologie
entwickelte Instrumentarium ein, sondern macht
deutlich, dass Methode und Sache nicht zu trennen
sind. Durch diesen Nachvollzug des Hegelschen
Philosophierens eignet sich das Buch auch
hervorragend für diejenigen Leser, die einen Zugang
zur *Phänomenologie des Geistes* suchen.

„Finks Hegelbuch ist eine seiner hervorragendsten
Schriften. Das Buch vermag tief eingewurzelte
Denkgewohnheiten und Vorurteile zu erschüttern."
Hegel-Studien

RoteReihe
Klostermann

Vittorio Klostermann
Frankfurt am Main

Online: www.klostermann.de
E-Mail: verlag@klostermann.de

Martin Heidegger
Erläuterungen zu Hölderlins Dichtung

7. Auflage 2012. 208 Seiten
ISBN 978-3-465-04140-5
Klostermann RoteReihe Band 44

Die *Erläuterungen zu Hölderlins Dichtung* stammen aus der Zeit von 1936 bis 1968. Im Vorwort zur zweiten Auflage der Einzelausgabe schreibt Heidegger: „Die Erläuterungen gehören in das Gespräch eines Denkens mit einem Dichten, dessen geschichtliche Einzigkeit niemals literarhistorisch bewiesen, in die jedoch durch das denkende Gespräch gewiesen werden kann." Dieses denkende Gespräch Heideggers mit der Dichtung Hölderlins setzte Anfang der dreißiger Jahre mit dem Beginn von Heideggers seinsgeschichtlichem Denken ein, auf dessen Ausarbeitungsweg Hölderlin als der Dichter, der, so Heidegger, „in die Zukunft weist", zum unablässigen Begleiter wurde. Heideggers Auseinandersetzung mit Hölderlin steht als die Begegnung eines Denkers mit einem Dichter einzigartig da. Noch 1966 erklärt Heidegger im berühmten „Spiegel-Gespräch", dass „mein Denken in einem unumgänglichen Bezug zur Dichtung Hölderlins" stehe.

Die Ausgabe enthält die Randbemerkungen aus Heideggers Handexemplaren und einen Anhang. Sie ist damit text- und seitenidentisch mit dem Band 4 der Gesamtausgabe.

Vittorio Klostermann
Frankfurt am Main
Online: www.klostermann.de
E-Mail: verlag@klostermann.de

RoteReihe
Klostermann